Gladys Jean

Prentice-Hall Canada Inc., Scarborough, Ontario

Canadian Cataloguing in Publication Data

Jean, Gladys, date
Entre amis 1

ISBN 0-13-282542-2

1. French language - Textbooks for second language learners - English speakers.*
I. Title.

PC2129.E5J4 1991 448.2'421 C90-094714-4

Prentice-Hall Inc., Englewood Cliffs (New Jersey)
Prentice-Hall International Inc., Londres
Prentice-Hall of Australia Pty., Sydney
Prentice-Hall of India Pvt., Ltd., Nouvelle-Delhi
Prentice-Hall of Japan, Inc., Tokyo
Prentice-Hall of Southeast Asia (Pte.) Ltd., Singapour
Editora Prentice-Hall do Brasil Ltda., Rio de Janeiro
Prentice-Hall Hispanoamericana, S.A., Mexico

ISBN 0-13-282542-2

Consultation à la rédaction: Monique Nemni
Direction de la rédaction: Ross Baker
Direction de la publication: Kristin Kay
Conception graphique: Brant Cowie/ArtPlus Limited
Réalisation graphique: Lorraine Smith, Heather Brunton/ ArtPlus Limited
Production: Jan Coughtrey
Enregistrements: Hara Musical Productions

Imprimé et relié au Canada par D.W. Friesen Ltd.

2 3 4 5 94 93 92 91

PHOTOGRAPHIES:
Paul Labelle/Bell Canada - p 34; Ken Davies/Masterfile - p 36; Fraser Day - pp 52, 127; Tony Stone Worldwide/Masterfile - p 86 (soccer; voile); Burton McNeely/The Image Bank Canada - p 86 (tennis; alpinisme); Travel Manitoba - p 114 (St-Boniface, Manitoba); S. Vidler/Superstock - pp 114 (Bruxelles; Martinique), 135 (Acropole); Superstock/Four by Five - pp 115 (Québec), 135 (Pisa; Londres; Paris; Taj Mahal); Nova Scotia Tourism & Culture - p. 115 (Pointe-de-l'Église, Nouvelle-Écosse); Office National Suisse du Tourisme - p. 115 (Les Diablerets); Alberta Tourism - p 129 (Bonnyville, Alberta); Services officiels français du tourisme - p 129 (Nice; photo: Gratien); Tourisme, Loisirs & Patrimoine/ Nouveau-Brunswick - p 129 (Caraquet, Nouveau-Brunswick); Emanuel Fevre/Superstock - p 135 (le Sphinx).

ILLUSTRATIONS:
ArtPlus Limited - pp 5, 6, 22, 74-75, 109, 110-111, 114-115, 117, 128, 138-140, (cartes) pp 142-145; Graham Bardell - pp 2-3, 4, 7, 12, 13, 20, 28, 82, 90; June Bradford - pp 15, 48, 54-55, 60, 98, 118; Kelvin Case - pp 14, 24, 66, 81, 92-93, 102-103, 123; Frances Clancy - pp 7, 69, 71, 76; Heather Collins - pp 78-79; Roy Condy - pp 4, 29, 32, 44, 47, 96, 113; Jacques Goldstyn - pp 34, 132, 133; Peter Grau - pp 32, 35, 138, 139, 141; Jaisuk Lee - pp 21, 67, 135; Jock MacRae - pp 10, 38-39, 45, 58, 59 Sharon Matthews - pp 5, 17, 42, 127; Michele Nidenoff - pp. 23, 30, 62, 83, 84, 94, 106; Louise Philips - pp iv, 1, 11, 25, 37, 53, 63, 77, 91, 107, 119; Anne Stanley - pp 5, 20, 97, 124-125; Henry Van Der Linde - pp 18-19, 68, 73, 84; Vesna Krstanovich - pp. 26-27, 31, 33, 57, 87, 108, 112; Farida Zaman - pp 40-41, 46, 101, 126.

DOCUMENTS AUTHENTIQUES:
p 9 la bande dessinée de Garfield reproduite avec la permission de United Media; p 16 la bande dessinée de Gaston tirée de *Le bureau des gaffes*, avec la permission de Éditions J'ai lu; p 48 "Les yeux de Goo-Goo" adapté de *Marmitons* de Suzanne Martel et Alain Martel, Éditions Jeunesse, Montreal; p 49 la bande dessinée de Peanuts reproduite avec la permission de United Media; pp 50-51 "Lunches de toutes les couleurs" reproduit avec la permission du ministère de la Santé et des Services Sociaux, Gouvernement du Québec; p 61 (Quizz) adapté de *Je me petit débrouille*, numéro 91; pp 64-65 les pages de TV Pop reproduites avec la permission de l'éditeur; pp 74-75 articles reproduits avec la permission de *Le Journal de Montréal*; p 85 "La Ringuette" reproduit avec la permission de l'Union des écrivains québécois; pp 80-81 - les symboles des sports reproduits avec la permission de Olympic Trust of Canada; p 88 "Les postures impossibles" reproduit de *Encore des expériences!*, Collection des petits débrouillards, avec la permission de l'éditeur; p 89 annonces reproduites avec la permission de Participaction; p 95: matériel de *Les aventures de Tintin* © Hergé/Casterman, reproduit avec la permission de Hergé/Casterman; de la collection *Astérix*, © 1990 Les Éditions Albert René/Goscinny - Uderzo, avec la permission de Les Éditions Albert René; de *Babar dans l'île aux oiseaux* et de *Babar à New York*, reproduit avec la permission de Hachette; de *Les Schtroumpfs* et *Les Pierrafeu*, reproduit avec la permission de United Media; pp 104-105 "Le sculpteur d'objets géants" reproduit avec la permission de Video-Presse; p 117 "La vérité est dans le mensonge" reproduit avec la permission de *Je me petit débrouille*; p 120 "Astronautes à douze ans" reproduit avec la permission de *Je me petit débrouille*; pp 130-131 "Une passion pour un pays" reproduit avec la permission de Bayard Presse; pp 132 et 133 "La vie quotidienne dans l'espace" reproduit de *Je me petit débrouille*, décembre 1988, avec la permission de l'éditeur; p 134 menu reproduit de *Le grand livre d'astronomie* avec la permission de Les Éditions des Deux Coqs d'Or; p 134; pp 136-137 jeu "Je départ en vacances" tiré de *Astrapi*, 15 juin 1989, avec la permission de Bayard Presse.

COUVERTURE: **Ron Broda**

Table des matières

Définition des symboles

échange en groupes de deux

utilisation de la bande sonore

défi

tâche de communication finale

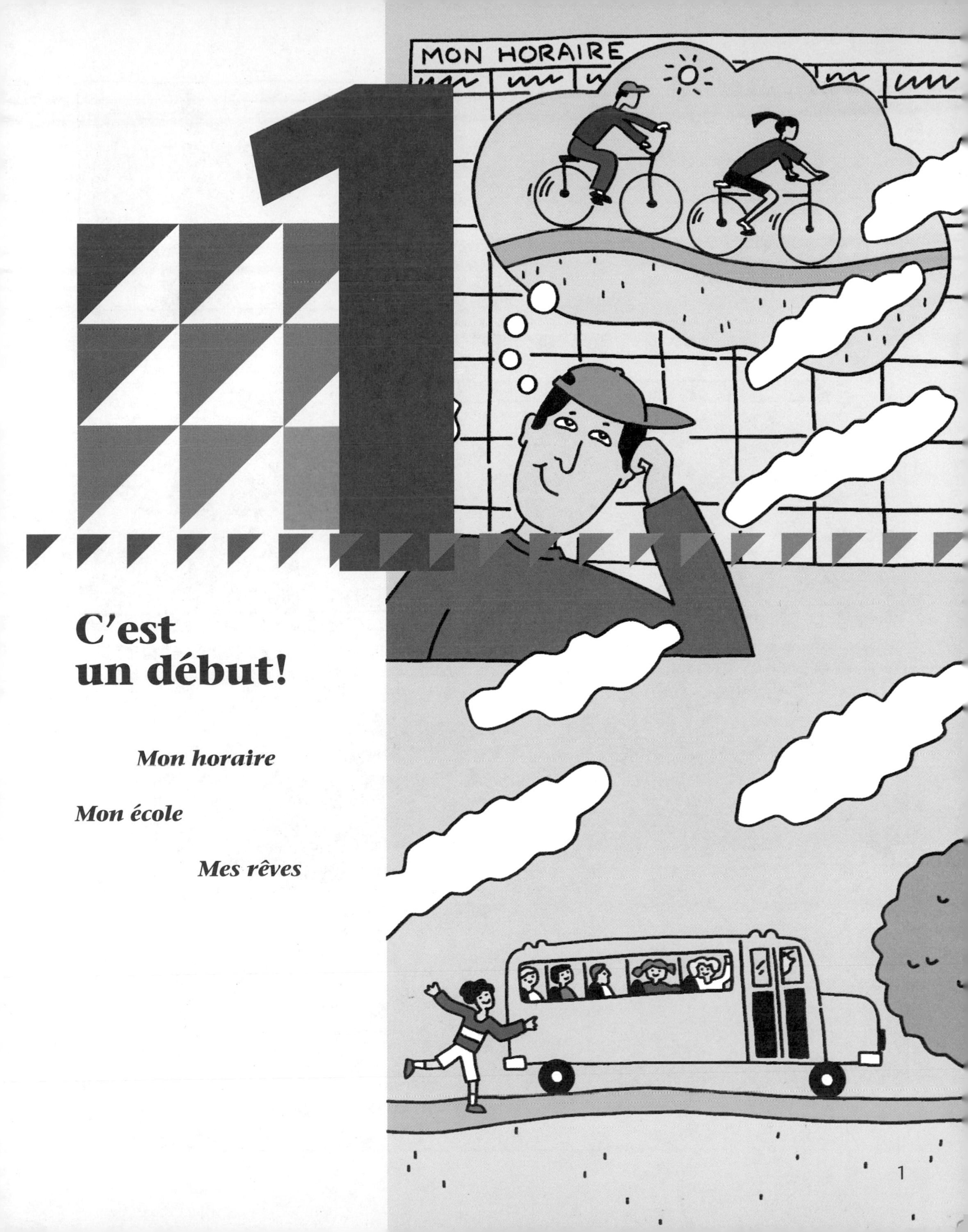

1

C'est un début!

Mon horaire

Mon école

Mes rêves

Quel cauchemar!

BIBLIOTHÈQUE

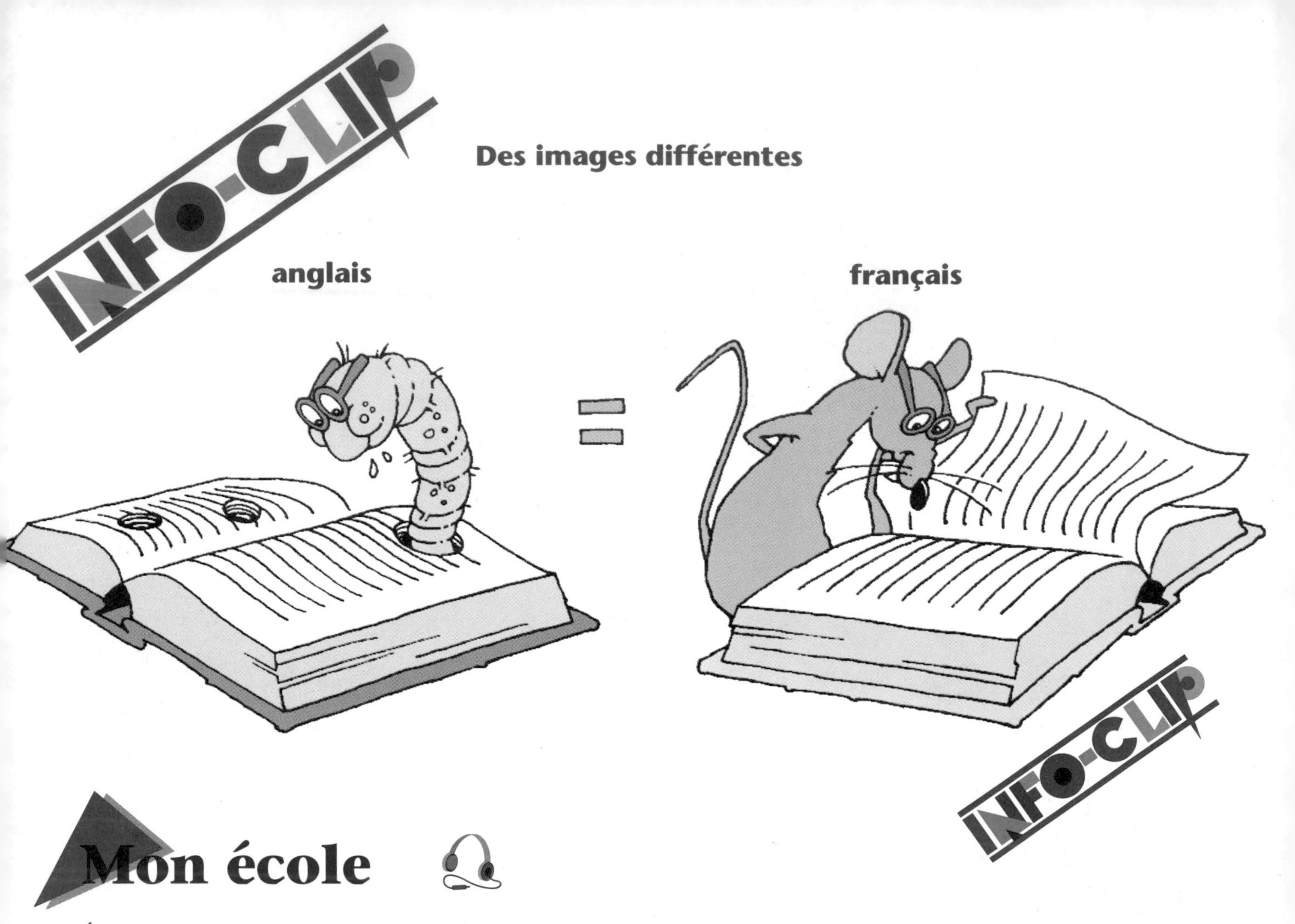

Mon école

Écoute Sébastien qui nous parle de son école – de sa vraie école! Peux-tu trouver quels sont ses endroits préférés?

En quelle année es-tu?
Je suis en maternelle.
première (1ère) année.
deuxième (2e) année.
troisième (3e) année.
quatrième (4e) année.
cinquième (5e) année.
sixième (6e) année.
septième (7e) année.
huitième (8e) année.
neuvième (9e) année.
dixième (10e) année.
onzième (11e) année.
douzième (12e) année.

Et toi, quels sont tes endroits préférés dans ton école?

Différents endroits dans une école

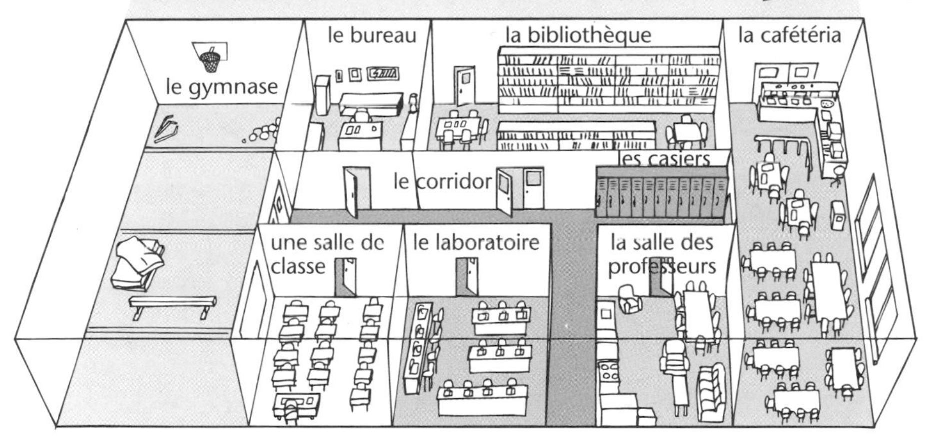

La salle des professeurs est **à côté de** la cafétéria.
La bibliothèque est **à droite du** bureau.
Le bureau est **à gauche de** la bibliothèque.
Il y a une salle de classe **devant** le bureau.
La cour de l'école est **derrière** l'école.
La bibliothèque est **entre** le bureau et la cafétéria.

Je décris mon école

Décrivez votre école. Travaillez en groupes.

L'horaire de Sébastien

Nom: Sébastien Bergeron
Année: Secondaire 1
École St-Joseph

Période	Jour 1	Jour 2	Jour 3	Jour 4	Jour 5	Jour 6
1 9 h 00-9 h 45	mathématiques Mlle Simard 203	musique Mme Lemieux 201	histoire Mme Beaudoin 204	religion Mlle Leduc 108	français M. Boisvert 105	anglais Mrs. Fox 104
2 9 h 50-10 h 35	éducation physique Mme Leclerc gymnase	mathématiques Mlle Simard 203	sciences M. Gendron 205	informatique Mlle Simard 207	histoire Mme Beaudoin 204	sciences M. Gendron 205
3 10 h 40-11 h 25	sciences M. Gendron 205	français M. Boisvert 105	éducation physique Mme Leclerc gymnase	anglais Mrs. Fox 104	mathématiques Mlle Simard 203	musique Mme Lemieux 201
4 11 h 30-12 h 15	français M. Boisvert 105	sciences M. Gendron 205	mathématiques Mlle Simard 203	histoire Mme Beaudoin 204	sciences M. Gendron 205	histoire Mme Beaudoin 204
12 h 15-13 h 15	D	Î	N	E	R	
5 13 h 15-14 h 00	histoire Mme Beaudoin 204	éducation physique Mme Leclerc gymnase	français M. Boisvert 105	mathématiques Mlle Simard 203	musique Mme Lemieux 201	éducation physique Mme Leclerc gymnase
6 14 h 05-14 h 50	anglais Mrs. Fox 104	histoire Mme Beaudoin 204	anglais Mrs. Fox 104	français M. Boisvert 105	anglais Mrs. Fox 104	mathématiques Mlle Simard 203
7 14 h 55-15 h 40	religion Mlle Leduc 108	informatique Mlle Simard 207	religion Mlle Leduc 108	sciences M. Gendron 205	religion Mlle Leduc 108	français M. Boisvert 105

C'est quand?

Modèle:

C'est quand?
Jour 3, onze heures moins vingt-cinq du matin.

INFO-CLIP

Pour écrire l'heure	Pour dire l'heure
9 h 50	Il est 10 heures moins 10 du matin
12 h 15	Il est midi et quart.
13 h 45	Il est 2 heures moins (le) quart de l'après-midi.
19 h 10	Il est 7 heures (et) 10 du soir.
24 h 00	Il est minuit.

le matin

l'après-midi

le soir

INFO-CLIP

Te souviens-tu?

Travaille avec un ou une partenaire. Fais-lui dire des choses au sujet de son horaire sans qu'il ou elle le regarde. Pose-lui cinq questions. Changez ensuite de rôle.

Modèle:

- John, à quelle heure est ta classe de français le lundi?
- Elle est à dix heures.
- Oui, c'est ça.

  ou
- Non, c'est faux, elle est à onze heures.

En quelle année est Sébastien? (Regarde son horaire.)
Regarde le tableau ci-dessous et réponds aux questions qui suivent.

Le système scolaire au Québec

École primaire - 1ère à la 6e année

École secondaire - Secondaire I à V (secondaire un à cinq)

CÉGEP (Collège d'enseignement général et professionnel) - 2 ou 3 ans

Université

En quelle année serait Sébastien s'il habitait dans ta province?
En quelle année serais-tu si tu habitais au Québec?

Pour le plaisir de lire

Mon horaire, les yeux fermés

Pour cette activité, tu as besoin de l'horaire que tu as fait à la page 6 de ton cahier. Travaille avec un ou une partenaire. Fais 12 phrases au sujet de ton horaire sans le regarder (3 phrases par matière, pour un total de 4 matières). Ton ou ta partenaire vérifie si c'est juste. Tu as 1 point par phrase exacte. Défie ensuite ton ou ta partenaire à faire mieux que toi.

Modèle:

Parle-moi de ta classe de *mathématiques.*

J'ai une classe de *mathématiques* à *onze heures* le *lundi matin.*

Mon professeur (Mon prof.) de *mathématiques* s'appelle *M. Foster.*

Ma classe de *mathématiques* est dans la salle *202* au *deuxième* étage.

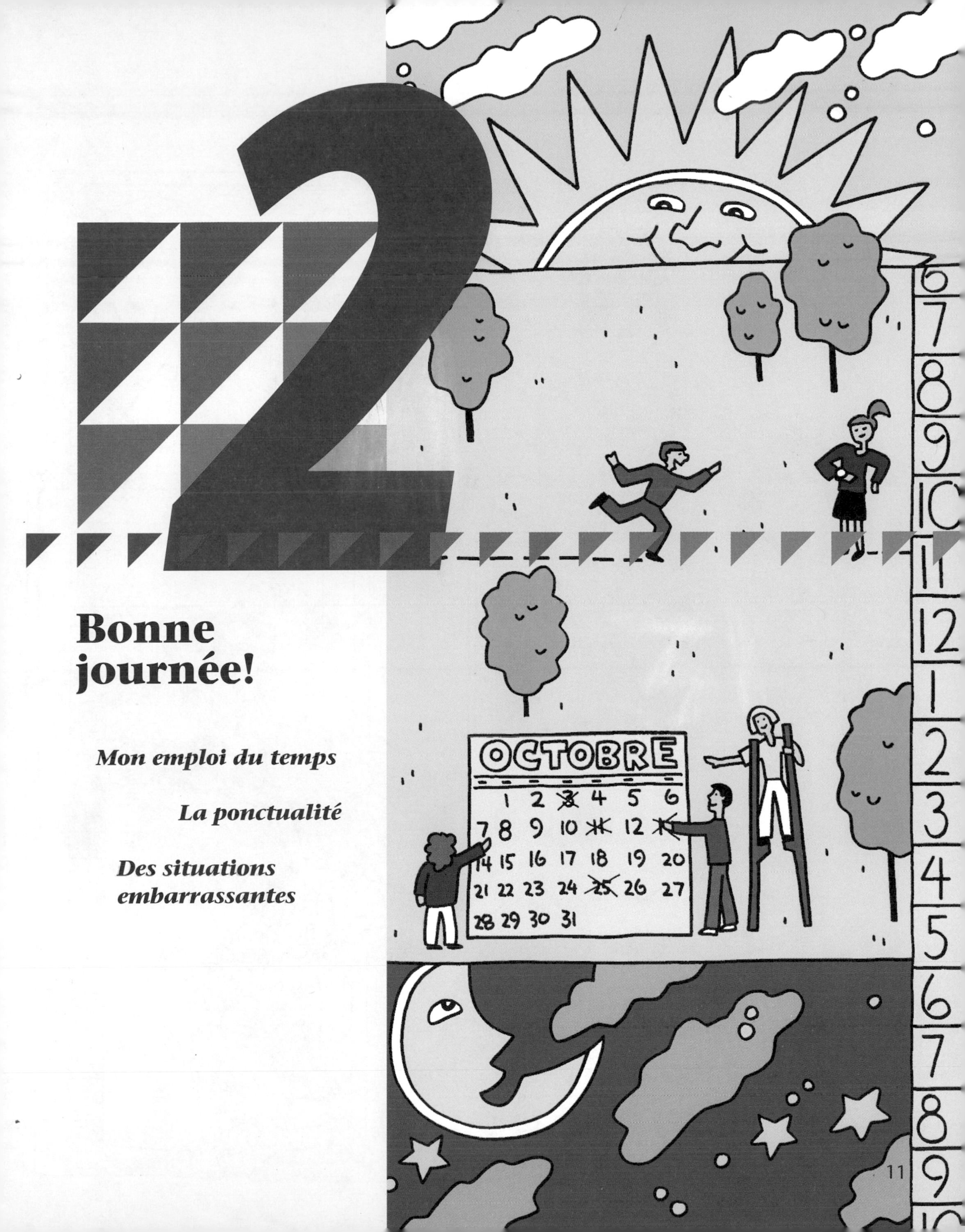

Bonne journée!

Mon emploi du temps

La ponctualité

Des situations embarrassantes

Bonne journée!

Quelle journée!

M. Distrait est comme toujours très désorienté aujourd'hui. Remets sa journée en ordre. Il peut y avoir plus d'un ordre logique. Essaie de trouver toutes les solutions possibles. Les actions peuvent aussi être répétées.

INFO-CLIP

Vois-tu la différence?

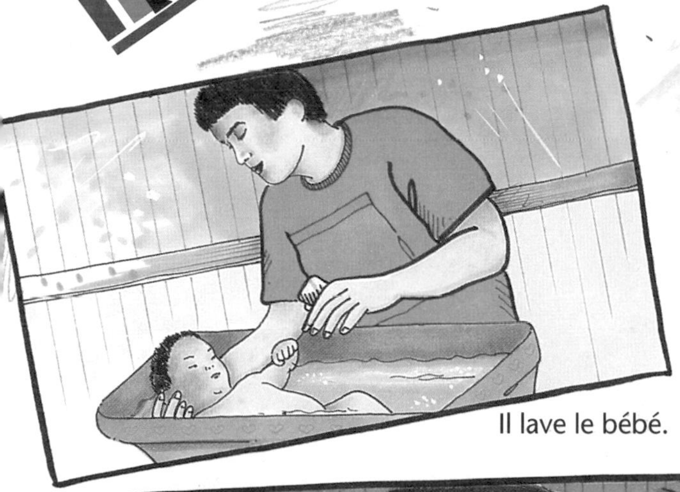

Il lave le bébé.

Il **se** lave.

Elle réveille sa fille.

Elle **se** réveille.

Elle peigne sa soeur.

Elle **se** peigne.

INFO-CLIP

Moi?

Fais cette activité avec un ou une partenaire.

1. • Qu'est-ce que tu fais avant d'aller à l'école?

Modèle:
- Je **me** réveille à sept heures , je **me** lave à sept heures et quart, je mange mon déjeuner à... Et toi?
- Moi, je **me** lève à huit heures...

2. • Qu'est-ce que tu fais après l'école?

Modèle:
- J'arrive à la maison vers cinq heures, j'écoute de la musique... et je **me** couche à dix heures et quart. Et toi?
- Moi, j'arrive à six heures et quart, je pratique mon piano,...

Un peu d'humour

Le soleil se lève à l'est.

Je **me** couche.
Tu **te** couches.

Nous **nous** couchons.
Vous **vous** couchez.

Il / Elle / On **se** couche.

Ils / Elles **se** couchent.

Question:

Est-ce que tu **te** couches?
ou
Tu **te** couches?
ou
Te couches-tu?

Phrase négative:

Je ne **me** couche pas.

Le soleil se couche à l'ouest.

Tic-Tac-Toe

Jeu pour deux partenaires.

	1 je	2 tu	3 il/elle
A			
B			
C			
D			
E			
F			

4 nous	5 vous	6 ils/elles	
			**A**
			**B**
			**C**
			**D**
			**E**
			**F**

Sébastien est en retard. Il est retourné à la maison pour mettre son pantalon. Il se dépêche maintenant.

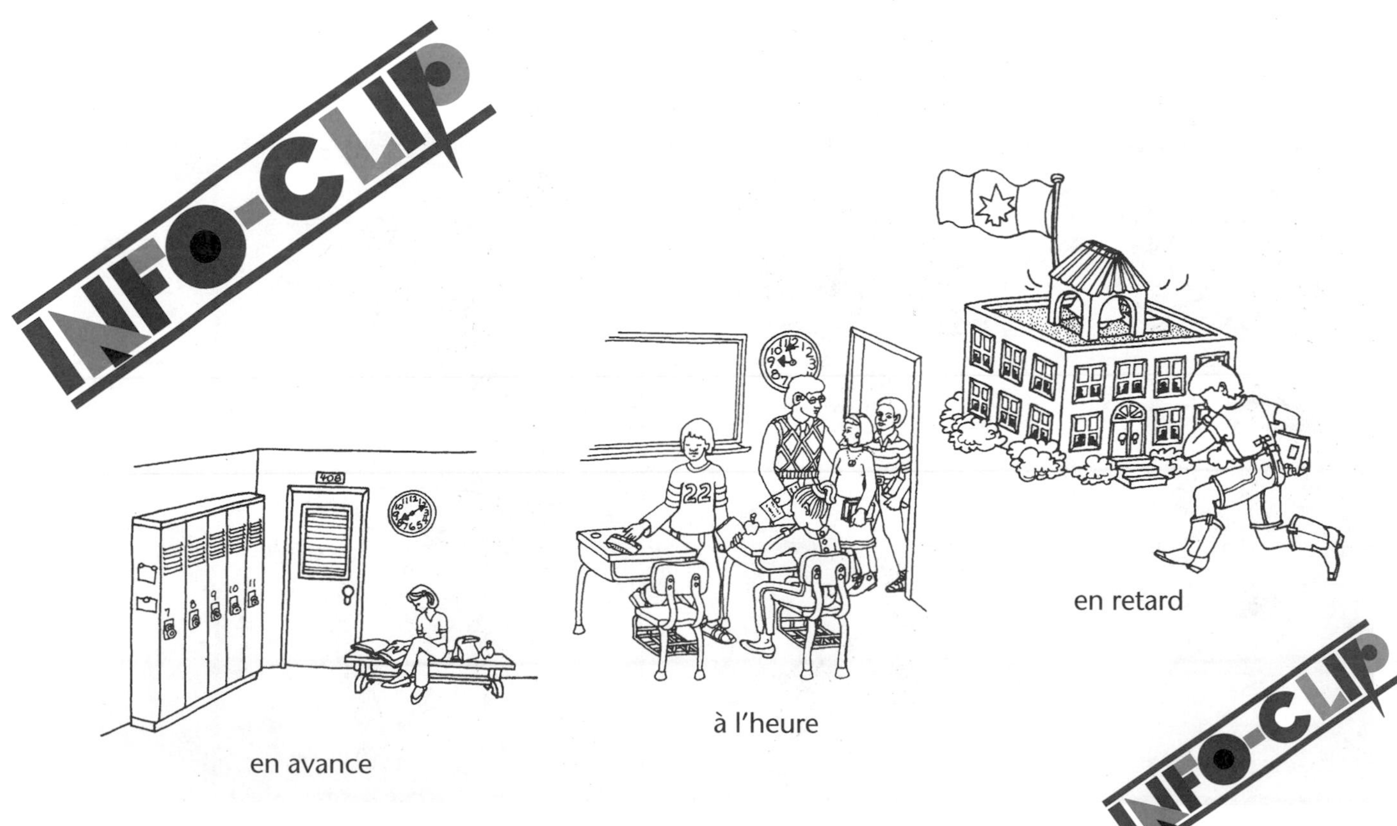

À la bonne heure!

Choisis la bonne réponse.

1. D'après moi, ce spectateur est
a) en retard.
b) en avance.
c) à l'heure.

2. D'après moi, ces deux garçons sont
a) en retard.
b) en avance.
c) à l'heure.

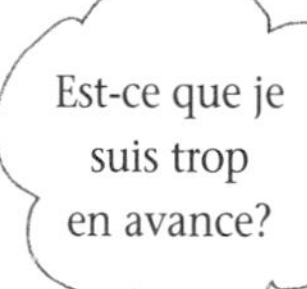

3. D'après moi, le rendez-vous du monsieur est
a) à 3 h 40.
b) à 3 h 55.
c) à 3 h 30.

4. D'après moi, la cloche sonne
a) à 9 h 00.
b) à 9 h 05.
c) à 9 h 10.

Christophe, tu es encore en retard! Va voir le directeur!

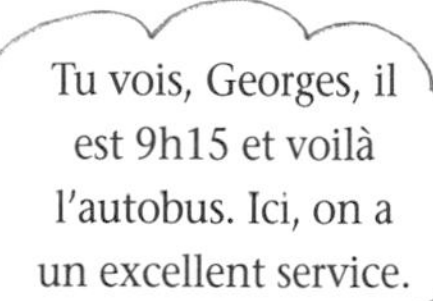

5. D'après moi, l'autobus est toujours
a) en retard.
b) en avance.
c) à l'heure.

L'emploi du temps de Sébastien

Voici l'emploi du temps de Sébastien pour une journée d'école typique et un samedi. Regarde-le et réponds aux questions de la cassette.

Une journée d'école typique		*Un samedi typique*	
7 h 30	Je me réveille.	9 h 00	Je me réveille.
7 h 40	Je me lève et je me prépare (je me lave, je me peigne, je me brosse les dents, etc.).	9 h 30	Je me lève.
		9 h 45	Je prends mon déjeuner et je regarde la télévision.
8 h 00	Je prends mon déjeuner.	10 h 30	Je me lave et je m'habille.
8 h 15	Je pars de la maison.	11 h 00	Je mets de l'ordre dans ma chambre et j'écoute de la musique.
8 h 20	Je prends l'autobus.		
8 h 55	J'arrive à l'école.	12 h 30	Je prends mon dîner.
9 h 00	Les classes commencent.	13 h 30	Je rencontre mes amis.
12 h 15	Je mange.	16 h 00	Je vais à la piscine.
16 h 00	Je joue au basket-ball à l'école ou je rencontre mes amis.	18 h 00	Je rentre à la maison et je regarde la télévision.
		19 h 00	Je mange mon souper.
18 h 00	J'arrive à la maison.	20 h 00	Je rencontre mes amis.
18 h 15	Je mange mon souper.	22 h 30	Je rentre à la maison et je regarde la télévision.
19 h 00	Je regarde la télévision.		
20 h 30	Je fais mes devoirs.	24 h 00	Je me couche.
23 h 00	Je me couche.		

Pour le plaisir de lire

Réjean et Françoise discutent. Réjean est québécois. Françoise est française.

Réjean: Le matin, je prends *mon déjeuner* vers sept heures.
Françoise: Tu prends *ton déjeuner* le matin? Le matin, je prends *un petit déjeuner*, pas *un déjeuner*! *Le déjeuner*, je le mange à l'école, vers midi et demi.
Réjean: Mais non, voyons! Le repas de midi, c'est *le dîner*, pas *le déjeuner*!
Françoise: *Le dîner* à midi? Ça c'est curieux! En France, on dîne vers huit heures du soir.
Réjean: Tu manges vers huit heures du soir? C'est très tard. Est-ce que tu n'as pas trop faim?
Françoise: Non, parce que je prends *un goûter* vers quatre heures.
Réjean: Quelle drôle d'idée! Nous, au Québec, on prend *notre souper* vers six heures.

Les trois repas

Au Canada		En France et dans d'autres pays francophones
le déjeuner	=	le petit déjeuner
le dîner	=	le déjeuner
le souper	=	le dîner

INFO-CLIP

Une entrevue

Fais une entrevue avec ton ou ta partenaire. Utilise les pages 18 à 20 de ton cahier pour t'aider.

3

Allô? Allô?

Les conversations au téléphone

Les invitations

Les amis

Ah, les amis!
DRRRING!
DRRING!!

Le téléphone et toi

- À qui parles-tu au téléphone?
- Combien de minutes parles-tu au téléphone par jour?
- Qui parle le plus au téléphone chez toi?
- Qui parle le plus au téléphone, les garçons ou les filles?
- Imagine que le téléphone n'existe pas. Qu'est-ce que tu fais dans les situations suivantes?
  – Il y a une urgence. Tu dois contacter la police.
  – Tu veux manger une pizza à la maison.
  – Tu veux dire à ton père ou à ta mère que tu vas être en retard.
  – Tu veux parler à ton ami(e).
  – C'est l'anniversaire de ton grand-père. Il habite à 1 000 km de ta maison.
  – Tu veux prendre un rendez-vous chez le docteur ou la docteure.
- Est-ce que le téléphone est indispensable? Pourquoi?

Pour demander comment ça va:
Comment ça va?
Comment vas-tu? Comment allez-vous?
Tu vas bien? Vous allez bien?
Ça va?

Pour dire comment ça va:

Ça va très bien, merci.
Je vais très bien, merci.

Comme ci comme ça.
Pas trop mal.

Ça ne va pas du tout.
Ça va mal.
Je suis malade.

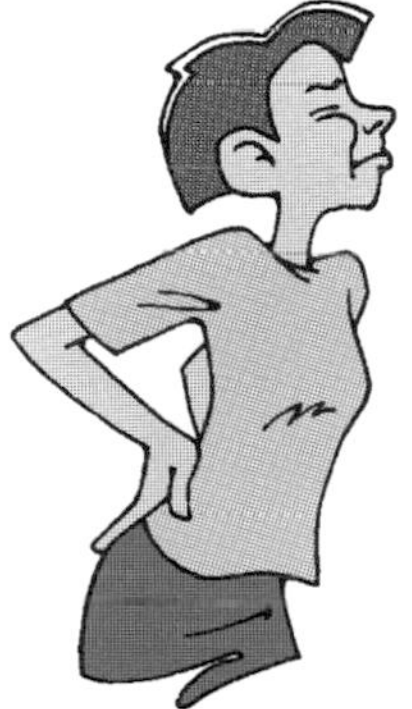

J'ai mal au dos.

J'ai mal au pied.

J'ai mal à la gorge.
J'ai un rhume.

J'ai mal au ventre.

J'ai mal à la tête.

J'ai mal au bras.

J'ai mal aux oreilles.

J'ai de la fièvre.

J'ai mal aux dents.

Je tousse.

J'éternue.

Ça ne va pas

Improvisation au téléphone

Modèle

- Allô, France?
- Oui, bonjour.
- Comment vas-tu?
- Oh, ça va mal. J'ai mal aux oreilles et à la gorge. Et toi?
- Pas trop mal.

Quel dommage!

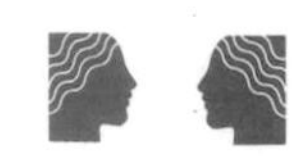

Modèle:

• Tu veux jouer au soccer avec nous?

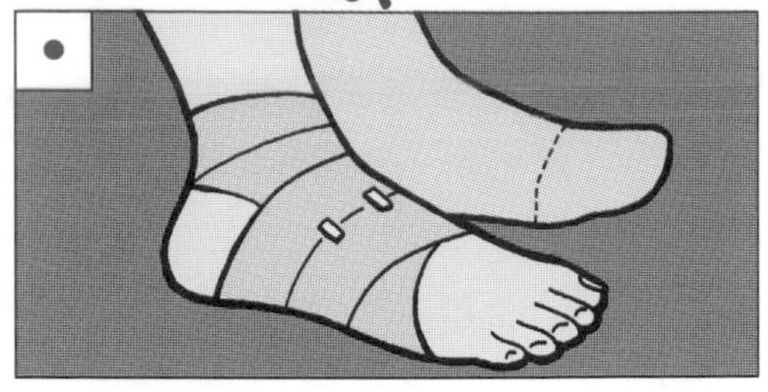

• Non, je ne peux pas. J'ai mal au pied.

• Dommage!

ou

• Je suis désolé (e).

ou

• Une autre fois, peut-être!

•

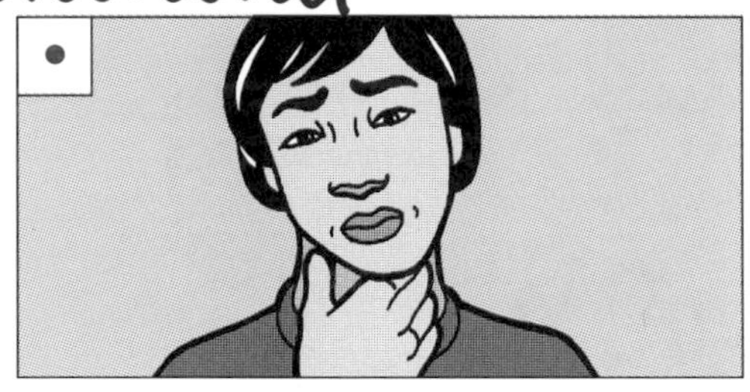

•

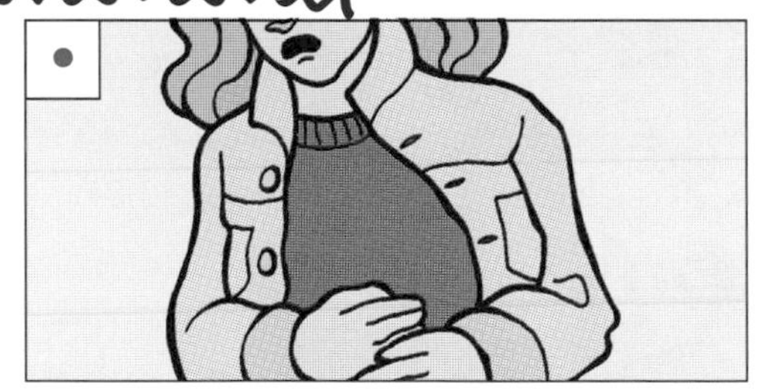

•

•

Allô, docteur?

Valérie n'est pas à l'école

Pour répondre au téléphone:
Allô?
Allô, oui?

Pour dire qui parle:

Ici  à l'appareil.

Pour demander quelqu'un:

Puis-je parler à , s'il vous plaît?

Est-ce que je pourrais parler à 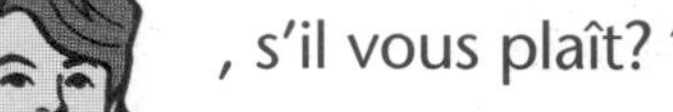 , s'il vous plaît?

Est-ce que  est là?

Pour faire attendre quelqu'un:
Un moment (instant), s'il vous plaît.
Ne quittez pas, s'il vous plaît.

Au téléphone  

Trouve les phrases qui vont ensemble. Il peut y avoir plus d'un choix possible. Travaille avec un ou une partenaire.

 **dit:**	 **répond:**
Puis-je parler à Madame Labonté?	Pas mal, toi?
Vous faites erreur. Il n'y a pas de Marie ici.	Je ne comprends pas. Vous pouvez répéter?
Allô?	Oh, excusez-moi!
Je . . . ***bzzz!*** . . . ***rrrrr!*** . . . s'il vous plaît.	Oui, bonjour. Est-ce que Sophie est là?
Je m'excuse, mais mon père n'est pas ici.	Un instant, ne quittez pas.
Je vous remercie beaucoup.	Est-ce que tu peux prendre un message pour lui?
Salut, comment vas-tu?	Il n'y a pas de quoi, monsieur.
Est-ce que c'est le 626-4347?	Au revoir.
Au revoir.	C'est Brian.
Qui est à l'appareil?	Non, vous n'avez pas le bon numéro.

Les verbes **répondre**, **entendre**, **attendre** et **descendre** se conjuguent tous de la même façon.

exemple:

je réponds	nous répondons
tu réponds	vous répondez
il/elle/on répond	ils/elles répondent

LE TÉLÉPHONE EN CAPSULES

UNE BELLE INVENTION

Le téléphone a été inventé par l'Écossais Graham Bell en 1876. Bell vivait alors au Canada, à Brantford, en Ontario.

COLLECTION HISTORIQUE DU TÉLÉPHONE / *BELL CANADA*

Alexander Graham Bell vers les années 1900.

J' ♥ MON TÉLÉPHONE

Il y a environ 600 millions de lignes téléphoniques dans le monde, dont 12 millions au Canada. Les Canadiens adorent parler au téléphone. On dit même qu'après le hockey, le téléphone est notre sport national numéro un!

BONJOUR ALEX!

Alex, c'est le nouvel ami du téléphone. Il s'agit d'un terminal informatique qu'on branche sur la ligne téléphonique. On peut consulter l'annuaire téléphonique à l'écran. Alex permet aussi de consulter son compte d'épargne, d'échanger des messages avec les copains, de réserver des places pour des spectacles, et beaucoup plus.

Bell

Ce reportage sur le téléphone est commandité par Bell Canada.

Tu sais comment faire?

Associe les phrases aux images.

Je parle.
Je décroche le récepteur.
J'écoute la tonalité (Bzzzzzzzzz).
Je cherche le numéro dans l'annuaire téléphonique.
Je mets une pièce de monnaie (25 cents).
Je compose le numéro.
Je raccroche le récepteur.

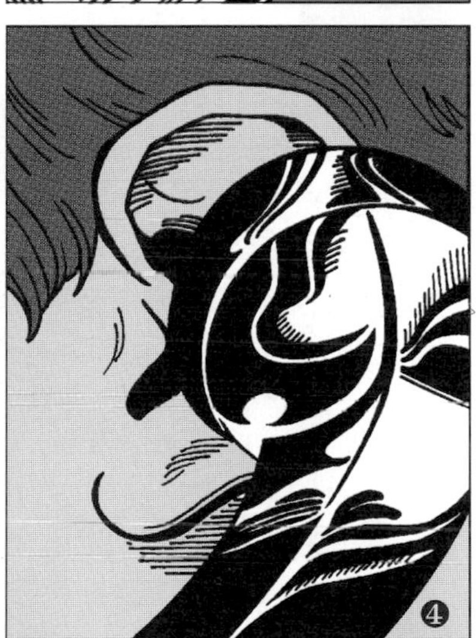

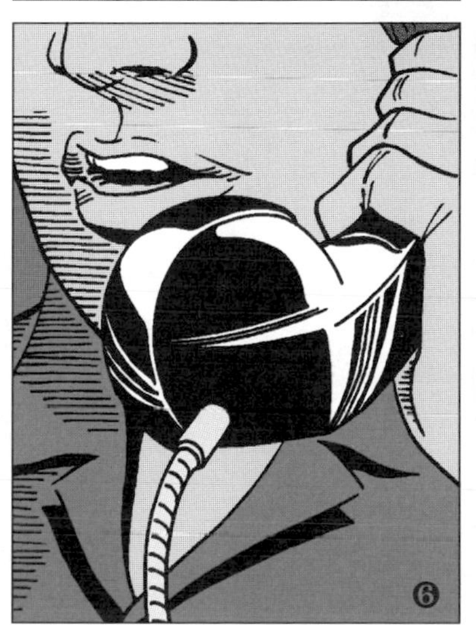

Allô? Allô?

Imagine que tu es au téléphone.
Travaille avec un ou une partenaire.

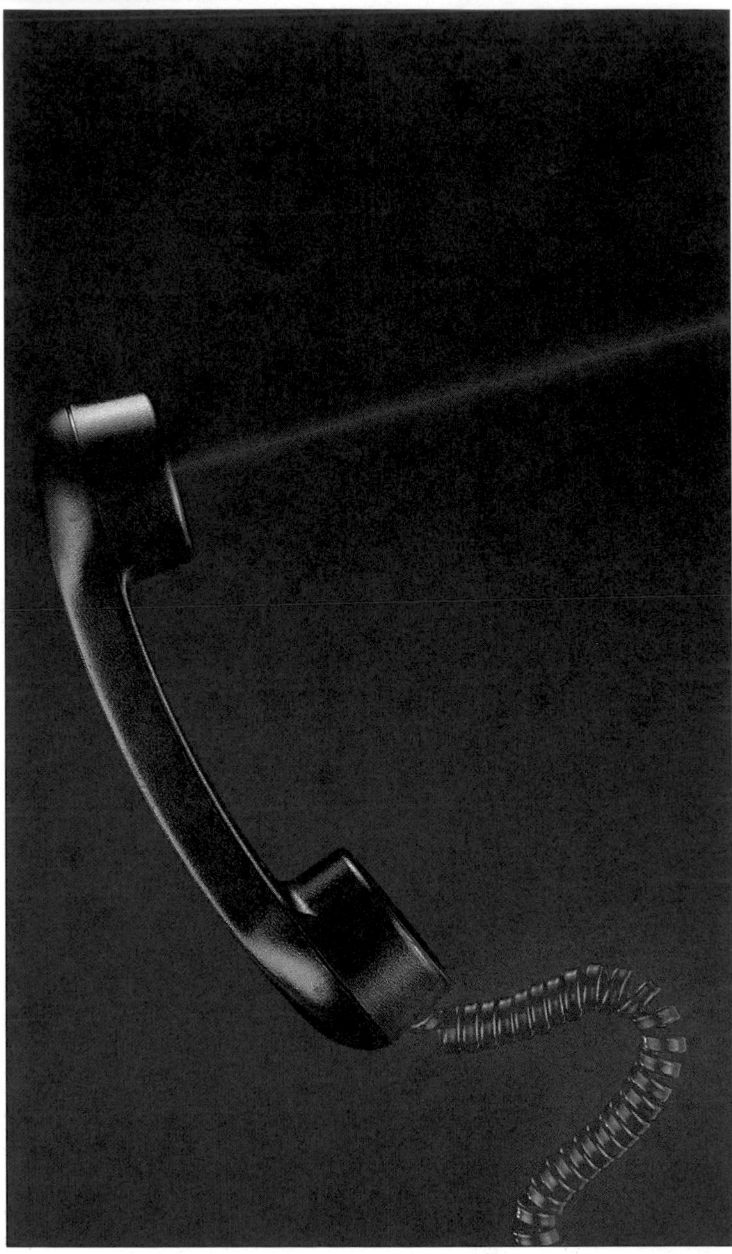

Ken Davies / Masterfile

— Tu appelles chez le docteur. Tu expliques ton problème à la réceptionniste et tu prends un rendez-vous.

— Tu appelles à l'école. Tu parles à la secrétaire. Tu lui expliques que tu n'es pas à l'école parce que tu es malade.

— Tu téléphones à un ami ou une amie.

— Tu téléphones à un ami ou une amie. Il ou elle n'est pas là. C'est son frère qui répond. Laisse un message.

— Tu appelles la vétérinaire. Ton chien (chat, oiseau, poisson) est malade. Tu lui expliques le problème.

4

Bon appétit!

Mon alimentation

La fabrication amusante d'un sandwich

Les aliments vides VS les aliments sains

J'ai faim!

Cher Philippe
Ta mère et moi
travaillons tard ce
soir. On va souper
vers 7h 30.
Prépare-toi une
collation si tu
as faim. Donne
aussi à manger à
Rufus, s'il te plaît.
A ce soir
Papa

Tu comprends?

Écoute de nouveau la bande. Qu'est-ce qu'Adrien veut, parmi ces ingrédients, pour faire les sandwichs?

Et toi, quels ingrédients choisirais-tu pour te faire un sandwich?

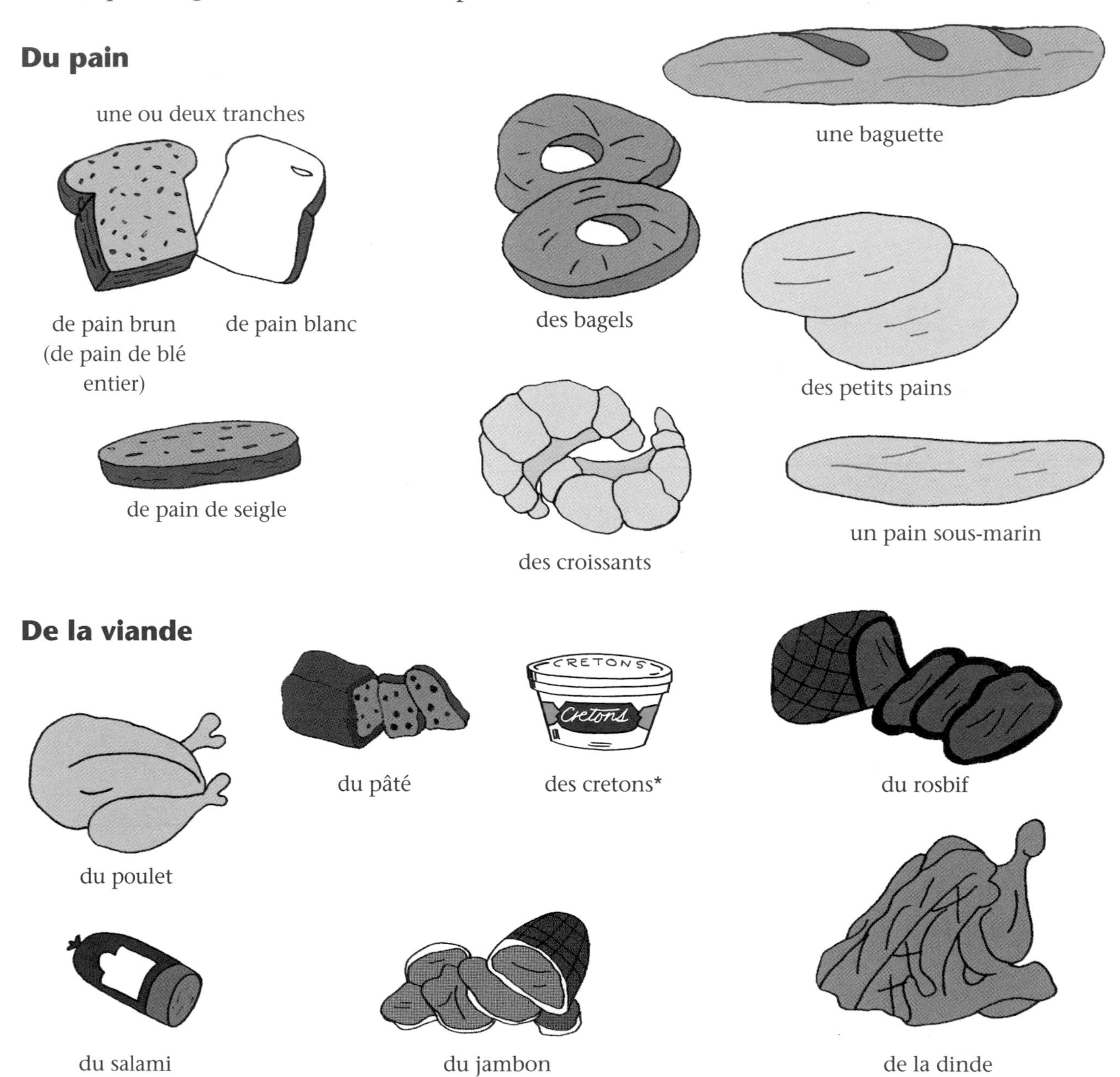

* C'est un mets typiquement canadien-français. C'est un peu comme du pâté, mais c'est fait avec du porc haché.

Des légumes et des fruits

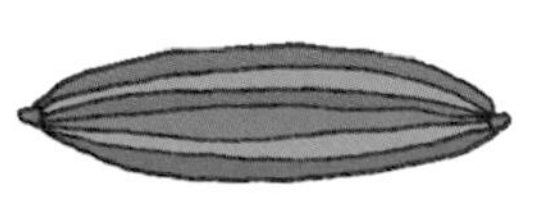

un concombre

un oignon

une tomate

une banane

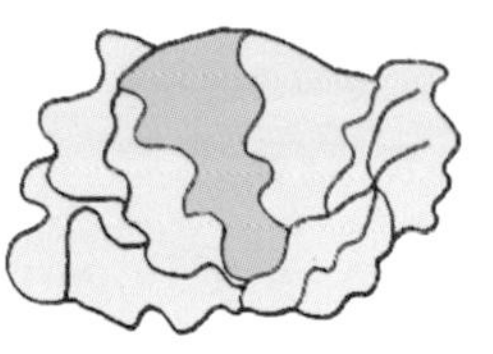

de la laitue

Du poisson

du thon

des sardines

du saumon

Des produits laitiers

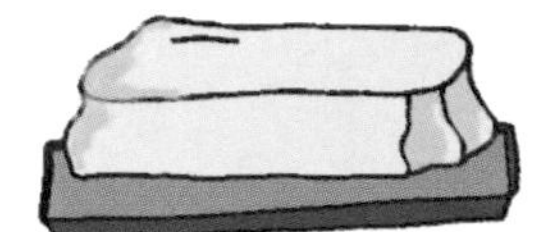

du beurre

du fromage

Divers

de la moutarde

des cornichons

du sel et du poivre

du beurre d'arachides

de la margarine

de la confiture

de la mayonnaise

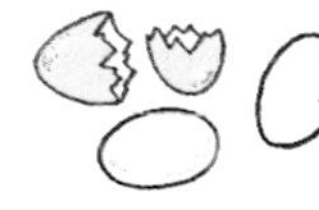

des oeufs

Pour parler des choses en général

On dit:

J'aime **le** lait.
J'adore **la** confiture.
L'eau, c'est bon pour la santé.
Les céréales, ça fait un bon déjeuner.

Pour parler d'une quantité indéterminée

On dit:

Je bois **du** lait.
Je mange **de la** confiture.
Je bois **de l'**eau.
Je mange toujours **des** céréales au déjeuner.

Sandwich! Je gagne!

Avant de commencer, chacun ou chacune doit se fabriquer un sandwich à l'aide d'une sorte de pain et de trois ingrédients. Dans ce jeu, on essaie de trouver les cartes qui représentent ces aliments. Les cartes à découper et les instructions se trouvent aux pages 101 – 105 de ton cahier.

Qu'en penses-tu?

Écoute l'énoncé et dis si, d'après toi, ça va bien ensemble ou ça ne va pas bien ensemble.

Regarde et écoute les deux modèles.

Modèles:
Dans mon sandwich, je mets du beurre, du jambon et de la laitue.
— Selon moi, ça va bien ensemble. (*ou* C'est très bon. *ou* Mmhmmh. Excellent! etc.)

Dans mon sandwich, je mets du beurre d'arachides, du thon et de la confiture.
— Selon moi, ça ne va pas bien ensemble. (*ou* Yeurk! C'est terrible! *ou* C'est dégoûtant! *ou* C'est affreux! etc.)

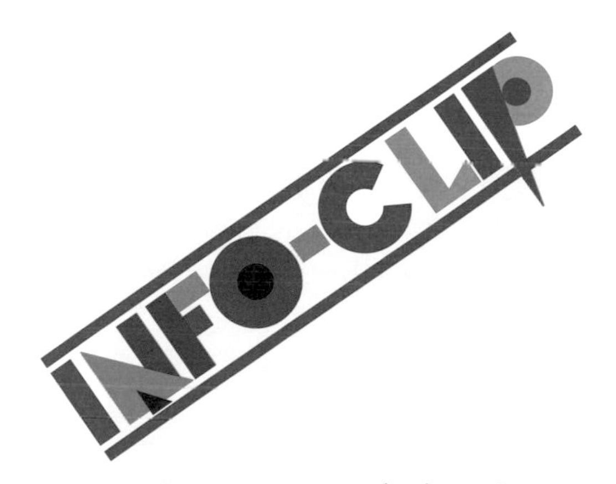

Pour ne pas répéter des mots inutiles dans la réponse:

Est-ce que tu mets [du beurre] ? Oui, j'**en** mets. *ou* Non, je n'**en** mets pas.

Est-ce que que tu veux [de la moutarde] ? Oui, j'**en** veux. *ou* Non je n'**en** veux pas.

Est-ce que tu bois [de l'eau] avec tes repas? Oui, j'**en** bois. *ou* Non, je n'**en** bois pas.

Est-ce que tu manges souvent [des sandwichs] ? Oui, j'**en** mange souvent.

ou Non, je n'**en** mange pas souvent.

INFO-CLIP

À chacun son goût!

Réponds aux questions selon ton expérience personnelle. Utilise **en** dans ta réponse.

Modèle:
- Est-ce que tu mets du beurre dans tes sandwichs?
- Oui, j'en mets. *ou* Non, je n'en mets pas. *ou* J'en mets parfois. etc.

1. • Est-ce que tu mets de la moutarde dans tes sandwichs à la dinde?
   • ______
2. • Est-ce que tu manges des sandwichs à midi?
   • ______
3. • Mets-tu de la margarine sur ton pain?
   • ______
4. • Est-ce que tu manges des fruits à midi?
   • ______
5. • Est-ce que tu manges souvent des oeufs?
   • ______
6. • Est-ce que tu manges des céréales au déjeuner?
   • ______
7. • Est-ce que tu bois du café?
   • ______
8. • Est-ce que tu manges des sandwichs aux bananes et au beurre d'arachides?
   • ______
9. • Est-ce que tu manges ______ ?
   • ______
10. • Est-ce que tu bois ______ ?
    • ______

Que veulent dire ces proverbes et expressions, selon toi?

Au dépanneur*

* Au Québec, ce terme signifie un petit magasin d'alimentation qui reste ouvert le soir, et même la nuit et les fins de semaine.

Les aliments vides

Qu'est-ce que tu choisirais à la place de Christine?

Quels aliments vides manges-tu souvent?

Quels aliments vides manges-tu parfois?

Quels aliments vides ne manges-tu jamais?

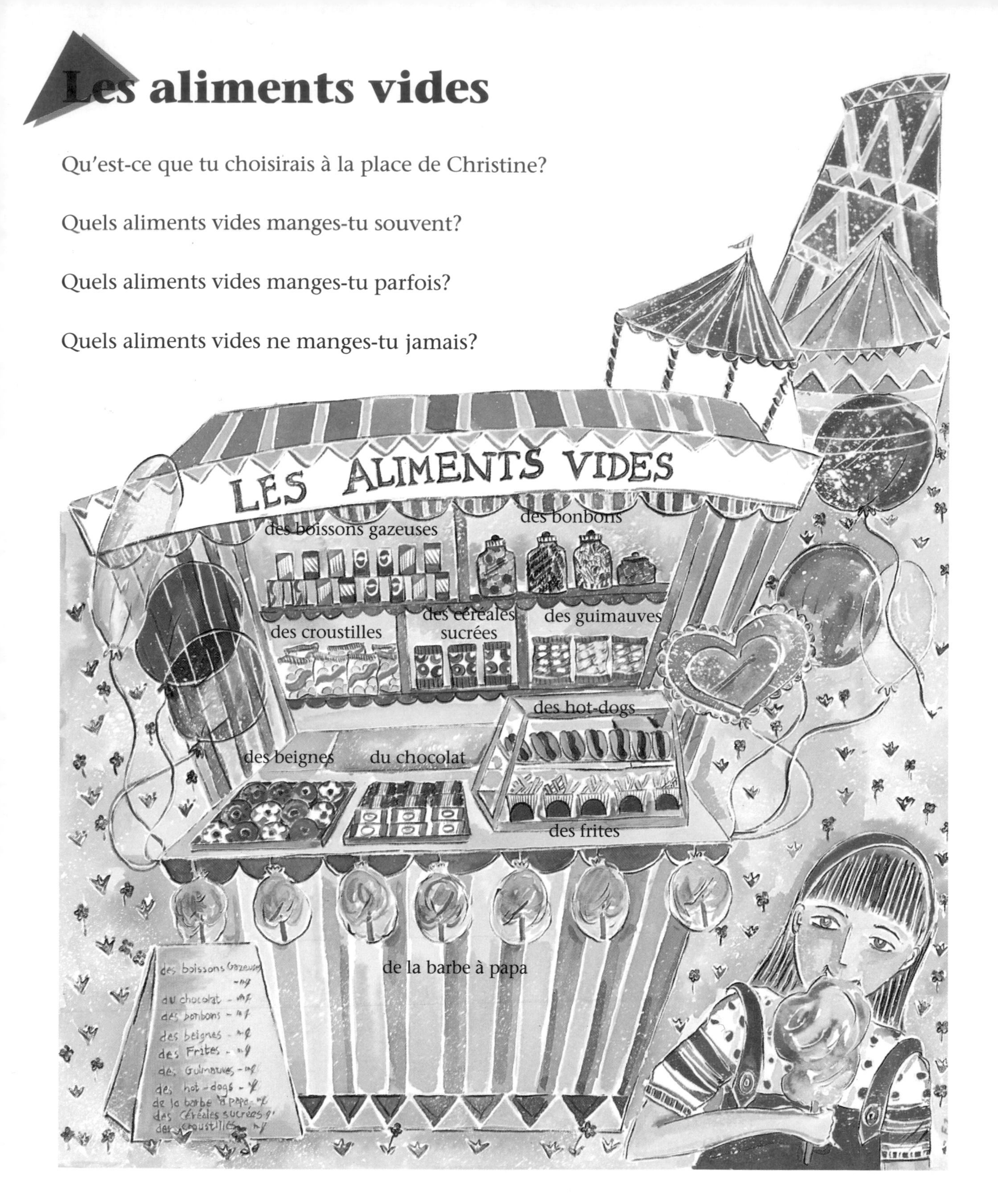

Les mythes alimentaires

Lesquels des énoncés suivants sont des mythes? Consulte les idées à la page 39 de ton cahier pour t'aider à décider.

1. Les carottes sont bonnes pour les yeux.

2. Le miel est meilleur pour la santé que le sucre.

3. Le yogourt est plus nourrissant que le lait.

4. Un bol de soupe, c'est bon pour le rhume.

5. Manger du chocolat avant de faire du sport donne de l'énergie.

6. Manger du poisson rend intelligent.

7. C'est bon de manger du spaghetti avant de faire du sport.

8. Il est nécessaire de boire durant un exercice physique.

Devinette

Qu'est-ce qui prouve que les carottes sont bonnes pour les yeux?

Réponse: On n'a jamais vu un lapin avec des lunettes.

Les yeux de Goo-Goo

En groupes de deux ou trois, essayez de deviner comment on fait les yeux de Goo-Goo.

Il me faut:

Ingrédients
1 oeuf par convive (deux s'ils ont très faim)
1 tranche de pain par oeuf
du beurre mou
sel et poivre

Temps
quelques minutes

Récipients et ustensiles
une grande poêle à frire, ordinaire ou électrique
un emporte-pièce (c'est une rondelle pour découper les biscuits; un petit verre fera aussi bien l'affaire)

Je mets la tranche de pain dans une poêle avec du beurre.

Je laisse cuire et je retourne le goo-goo.

Je mets du beurre sur une tranche de pain.

J'ajoute du sel et du poivre.

Je prends un oeuf et je le mets dans le trou.

Je fais un trou rond au centre de la tranche de pain.

Je mange.

Pour le plaisir de lire

Gouvernement du Québec
Ministère de la Santé et
des Services sociaux
Direction des Communications

Dépôt légal – Bibliothèque nationale du Québec
– 316 4* trimestre 1985

Voici une facon simple de composer un lunch nutritif. Vous trouverez ici quelques suggestions pour chaque partie du lunch. Chaque suggestion est identifiée par une ou deux couleurs, selon le ou les groupes alimentaires auxquels elle correspond principalement. Il y a quatre groupes d'aliments, donc quatre couleurs. C'est facile: vous vous assurez que le lunch que vous préparez contient au moins une fois chaque couleur... et le tour est joué!

ENTRÉES ET ACCOMPAGNEMENTS

1 • DES SOUPES
- aux légumes variés
- aux lentilles
- aux pois, etc.

2 • DES POTAGES
- aux tomates
- aux épinards
- aux carottes, etc.

3 • DES JUS
- de tomate
- de légumes
- de fruits (sans sucre ajouté) frais, en conserve, congelés, etc.

4 • DES CRUDITÉS
- bâtonnets de carotte, céleri, de concombre, de poivron vert;
- têtes de chou-fleur, de brocoli;
- radis, oignon vert,

5 • DES PETITES SALADES
- chou (rouge, vert, de Savoie, chinois) et pommes;
- laitue (Iceberg, Boston, Romaine, frisée, etc.), céleri, champignons tranchés, poivron vert en lamelles;
- carottes râpées, pommes et raisins secs;
- épinards, laitue et radis;
- riz brun, oignon vert, céleri, poivron vert en dés;
- macaroni, céleri et carottes cuites, etc.

6 • DU LAIT
- un thermos de lait... le plus souvent possible

7 • DU PAIN
- petit pain de blé entier
- tranche de pain aux raisins
- petit pain rond aux graines de sésame, etc.

METS PRINCIPAUX

1 • DES SANDWICHS
- pain + jambon, fromage, laitue et tomate à part dans un contenant
- pain + oeuf, persil, oignon haché
- pain + salade au poulet
- pain et noix, dattes hachées, fromage à la crème
- pain + beurre d'arachide, purée de pommes, fromage râpé
- pain + thon ou saumon, poivron vert, céleri haché, jus de citron
- pain + poulet haché, amandes grillées, olives hachées, etc.

2 • DES SALADES-REPAS
- poulet, céleri et poivron vert hachés, amandes grillées, laitue, mayonnaise allégée avec du yogourt nature;
- viande cuite en dés, céleri, concombre, poivron vert, oignon, mayonnaise allégee avec du yogourt nature;
- cubes de fromage, pommes, raisins, poires, graines de tournesol
- macaroni, fromage, céleri, oignon, mayonnaise allégée avec du yogourt nature
- riz brun, pois chiches, poivron vert, tomates, oignons, vinaigrette à l'ail, etc.
- salade russe, etc.

3 • DES METS CHAUDS
- ragoût ou hachis
- boulettes de viande
- pâté chinois
- pain de viande
- spaghetti à la viande
- macaroni au fromage
- fèves au lard
- mini-pàté au poulet
- sauce blanche aux oeufs, au poulet, etc.

4 • DES DÉPANNEURS
- oeufs durs
- pointes de fromage
- poulet froid
- tranches de jambon, etc.

DESSERTS

1 • DES FRUITS FRAIS EN CONSERVE, EN COMPOTE OU EN SALADES
- oranges
- pommes ou compote de pommes
- poires
- bananes
- nectarines
- raisins
- compote de rhubarbe et de fraises
- fraises
- framboises
- bleuets

2 • DES DESSERTS AU LAIT
- blanc-manger
- flan (cossetarde)
- pouding au riz, au tapioca
- yogourt nature auquel on ajoute des fruits frais, des noix, des fruits secs, etc.

3 • DES BISCUITS
- au beurre d'arachides
- à la farine d'avoine (gruau) et aux noix
- à la mélasse et aux raisins, etc.

4 • DES MUFFINS
- au son et au miel
- aux bananes
- aux pommes et aux raisins
- au son et aux épices, etc.

5 • DES PAINS-GÂTEAUX
- aux bananes
- aux dattes et aux noix
- aux atocas (canneberges)
- aux pruneaux
- aux carottes et aux raisins, etc.

Un sandwich vraiment dégoûtant!

Trouve une façon de faire un sandwich vraiment dégoûtant. Présente ton sandwich à la classe.

Pour ta démonstration devant la classe, tu peux découper du papier en forme des aliments que tu as choisis et les colorier, ou tu peux découper les aliments que tu as choisis dans des journaux ou des revues (les pages publicitaires des supermarchés peuvent être très utiles à cet effet).

La classe jugera qui a fait le sandwich le plus dégoûtant.

Bonne chance et... mauvais appétit!

Vive les fins de semaine!

Mes activités de fin de semaine

Une fin de semaine inoubliable

Le ski

Vive les fins de semaine!

À suivre ...

Tes suggestions, s'il te plaît

Modéle:

- Il fait beau et chaud aujourd'hui. • J'ai une idée. Jouons au base-ball!
- Bonne idée!

  ou
- Non, faisons plutôt de la planche à roulettes.

- Il neige aujourd'hui. •
-
- Mes parents ne sont pas à la maison ce soir. •
-
- Quelle journée déprimante! Il pleut depuis ce matin. •
-
- J'ai très faim. •
-
- Il n'y a pas d'école demain. •
-
- J'ai trouvé 50 dollars. •
-

- •
-

Pour faire une suggestion:

Allons au centre d'achats!
Faisons de la planche à roulettes!
Partons vite!

Tes projets pour la fin de semaine  

Discutez avec différentes personnes de votre classe de vos projets de fin de semaine.

Un accident, quel dommage!

Qu'est-ce qu'il ne va pas faire en fin de semaine?

Pour parler d'une action future:

Je	(ne)	vais	(pas)	sortir	demain.
Tu	(ne)	vas	(pas)	lire	cette fin de semaine.
Il/Elle/On	(ne)	va	(pas)	manger	ce soir.
Nous	(n')	allons	(pas)	travailler	plus tard.
Vous	(n')	allez	(pas)	dormir	cette nuit.
Ils/Elles	(ne)	vont	(pas)	partir	la semaine prochaine.

Devine!

Jeu à deux participants.

Découpez d'abord dix bouts de papier avec les numéros 1 à 10. Chacun ou chacune à votre tour, pigez un papier et faites deviner à l'autre personne ce que vous allez faire la fin de semaine prochaine. Les numéros correspondent aux activités de la page opposée. Vous avez chacun ou chacune 15 points en banque. Vous perdez un point à chaque fois que vous ne devinez pas juste. Le jeu s'arrête quand tous les numéros ont été utilisés. Le gagnant ou la gagnante est la personne avec le plus de points à la fin du jeu.

1
2
3
4
5
6
7
8
9
10

Il faut s'organiser

On s'organise

Pour le plaisir de lire

Les amis

On a tous nos meilleurs amis, ceux avec qui on organise une fin de semaine ou un voyage de ski, par exemple. Mais comment les choisissons-nous? Fais ce test et découvre ce qui est important pour toi en amitié.

1. Avec un(e) ami(e), tu partages...
a) tes secrets
b) tes déceptions
c) tes projets

2. Un(e) ami(e), c'est une personne...
a) qui pense souvent la même chose que toi
b) qui porte ton sac quand tu te casses une jambe
c) qui est entré(e) dans ta vie pour toujours

3. La parfaite image de l'amitié, c'est ...
a) un sourire partagé
b) une fin de semaine passée ensemble à faire un travail difficile
c) une promesse qu'on va toujours être ensemble, même dans les moments difficiles

4. Un(e) ami(e) te déçoit quand...
a) il/elle révèle un de tes secrets
b) il/elle disparaît quand tu as besoin de lui ou d'elle
c) il/elle doute de ton amitié

5. Une personne ne serait pas ton ami(e), si elle était ...
a) insensible
b) égoïste
c) infidèle

Écris tes réponses sur un bout de papier. Vérifie ensuite ce qu'on dit de toi. Il est possible que tu te trouves dans deux catégories.

Si la majorité de tes réponses sont des "a":

Pour toi, un(e) ami(e) est un(e) complice. Ton ami(e) et toi, vous vous dites tout. Vous vous comprenez si bien que parfois il n'est pas nécessaire de parler.

Si la majorité de tes réponses sont des "b":

En amitié, tu privilégies la complémentarité. Tu aimes un(e) ami(e) qui est généreux(-euse) et qui t'aide. Pour toi, un(e) ami(e) est toujours là quand tu as besoin de lui ou d'elle. Par exemple, tu aimes faire tes devoirs avec ton ami(e).

Si la majorité de tes réponses sont des "c":

Pour toi, l'amitié est éternelle. Un(e) ami(e) est une personne qui va toujours être avec toi. Vous allez être amis dans 5, 40, 80 ans.

Qu'en penses-tu? Es-tu d'accord avec cette analyse des résultats?

Adapté de *Je me petit débrouille*, numéro 91.

Une fin de semaine inoubliable!

Supposez que vous ayez beaucoup d'imagination et beaucoup d'argent. (Fantastique, n'est-ce pas?) En groupes de trois, quatre ou cinq, planifiez une fin de semaine vraiment à votre goût. (Utilisez les pages 52 et 53 de votre cahier pour vous aider.)

Vive ou à bas la télé?

Les émissions de télé

La publicité

Mon opinion sur la télé

LE MAGAZINE DE LA TÉLÉ

seulement .95¢

tvPOP

8 au 14 avril

Chroniques chaque semaine avec

GUY LAFLEUR

15

0 62935 00002 9

les PRODIGES du SPORT

Horaire complet
Télé payante

Samedi — 8 avril — Sur vos réseaux ce soir...

Réseau	CF	VD	19:00	19:30	20:00	20:30	21:00	21:30	22:00
CBS	3	3	Disney		Dolphin Cove		TV 101		West 57th
RC	4	4	Samedi derire		La soirée du hockey Demi-finale de la division Adams				le télé journal
TQS	5	5	MacGyver		Cinéma « Gonflés à bloc »				Grand journal
CFTM (TVA)	7	7	La lutte WWF		L'Ambitieuse partie2				
RQ	8	8	Cousteau		Parler pour parler « Célèbre avant 16 ans »				Cinéma - Le moustachu -
CFCF (CTV)	11	11	Family Ties	Starting From Scratch	Mission Impossible		Academy Performance " Bridge to Silence "		
CBC	13	13	Tales of the unexpected	NHL Playoffs Divisonal Semi-Final (Prince of Wales Conference)					
PBS	14	14	Austin City Limits		Front Row Feature " Seven Samurai "				
TV 5	15	15	Journal A2	A comme artiste	Avis de recherche: Patrick Bruel			Du côté de chez Fred	
NBC	16	16	Cheers		Spring Training 89		Golden Girls	Empty Nest	Hunter
Musique plus	20	20	Vox Pop		ConcertPlus: Amnistie Internationale				
CJOH (CTV)	21	21	Star Trek		Live it up	CJOH Movie Special " Romancing the Stone "			
ABC	22	22	Star Trek		Mission Impossible		A Man Called Hawk		Men
Télé enseignement	23	23	Entrepreneurship		Intro aux droits et libertés de la personne	Gestion au féminin	Choix et utilisation médias		Rin-101: Santé et sécurité au travail
PATH (TVA)	36	26	ciné-extra - Un étrange marché noir - (à partir de 18h)		L' Ambitieuse partie 2				
ABC	28	29	Star Search		Mission Impossible		A Man Called Hawk		Men

La télé payante ce soir...

Réseau	CF	VD	19:00	19:30	20:00	20:30	21:00	21:30	22:00
Canal famille	21	31	Kidd vidéo	« Denis la menace »					
Super écran	32	32	- - -	« Le Drive-In de l'enfer »			« Vice versa »		
First Choice	31	33	" Made in Heaven " (à partir de 18 h15)		" Vice Versa "			" Beverly Hills Cop II "	
TSN	30	34	TNT Truck and Tractor	NHL Tonight Live Game 3 of the divisional semifinal playoffs					

La télé chez toi

Est-ce que tu consultes les horaires de télévision pour choisir les émissions que tu vas regarder? Si oui, tu utilises l'horaire de quel journal ou de quel magazine?

Est-ce que tu connais d'autres magazines de la télé?

Combien de téléviseurs est-ce que vous avez chez vous? Est-ce qu'ils sont en couleur ou en noir et blanc? Est-ce que vous avez un magnétoscope?

Est-ce que tu as le câble chez toi? Et la télé payante? Et la télé par satellite?

Est-ce que tu regardes beaucoup la télévision? Es-tu l'esclave de la télé? (Commence à faire le sondage aux pages 55 et 56 de ton cahier.)

Tu comprends?

Regarde l'horaire de télévision de la page 65 de ton livre et réponds aux questions suivantes.

Combien est-ce qu'il y a de chaînes françaises? À quel canal sont-elles? Et dans ta région, à quel canal sont la ou les chaînes françaises? Quel est leur nom? (Si tu ne sais pas, vérifie ce soir.)

Trouve et nomme toutes les émissions de sport en anglais et en français. Quel serait ton choix?

Trouve et nomme tous les films en anglais et en français. Quel serait ton choix?

Trouve le nom d'une émission pour enfants en français.

À quelle heure sont les nouvelles au canal 4?

Quel est le nom du concert à Musique Plus?

Au canal 5, quelle émission est une traduction?

Quelle émission choisirais-tu à 19 h 00? à 20 h 00? à 22 h 00?

Question de goût 

Travaille avec un ou une partenaire. Imite le modèle.

Voici les choix de types d'émissions: les vidéoclips, les comédies, les émissions de sport, les nouvelles, les téléromans, les dessins animés, les documentaires, les émissions policières.

Modèle:

- Est-ce que tu aimes
  les émissions de science-fiction?

- Oui, je les aime beaucoup. 
  ou
- Je les aime un peu. 
  ou
- Non, je ne les aime pas du tout. 

1. • 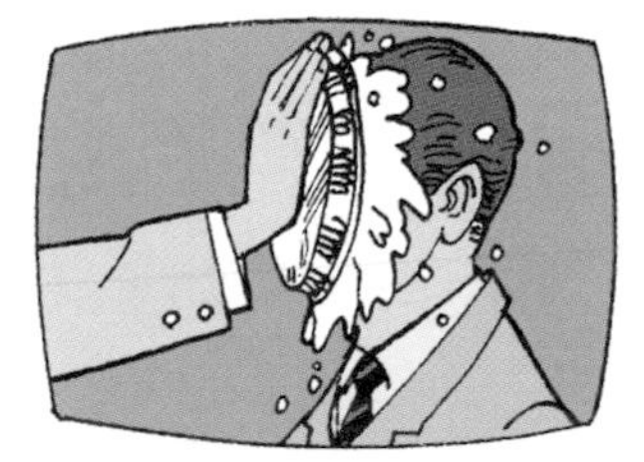

2. • 

3. • 

4. • 

5. • 

6. • 

7. • 

8. • 

Es-tu d'accord?

Modèle:

- *Alf* est une émission drôle. Es-tu d'accord?

- Oui, je suis d'accord.
  ou
- Non, je ne suis pas d'accord. Je pense qu'elle est stupide.

1. • ______ est une émission drôle. Es-tu d'accord? • ______
2. • ______ est une émission intéressante. Es-tu d'accord? • ______
3. • ______ est un film triste. Es-tu d'accord? • ______
4. • ______ est une émission idiote. Es-tu d'accord? • ______
5. • ______ est une émission violente. Es-tu d'accord? • ______
6. • ______ est une émission ennuyeuse. Es-tu d'accord? • ______
7. • ______ est un film captivant. Es-tu d'accord? • ______
8. • ______ est une émission populaire. Es-tu d'accord? • ______
9. • ______ est un film drôle. Es-tu d'accord? • ______
10. • ______ est une émission divertissante. Es-tu d'accord? • ______

Quelques adjectifs utiles pour parler des films et des émissions de télévision:

Un film	Une émission
Un film drôle	Une émission drôle
triste	triste
populaire	populaire
stupide	stupide
intéressant	intéressante
violent	violente
captivant	captivante
divertissant	divertissante
sérieux	sérieuse
ennuyeux	ennuyeuse

D'après moi...

Quelles sont les meilleures émissions de la semaine?
Donne ton opinion. Tu peux utiliser un magazine de la télévision ou un horaire de journal.

D'après moi,	le lundi,	l'émission	la plus drôle	est ______
	le mardi,		la plus intéressante	
	le mercredi,		la plus triste	
	le jeudi,		la plus stupide	
	le vendredi,		la plus violente	
	le samedi,		la plus sérieuse	
	le dimanche,		la plus captivante	
			la plus ennuyeuse	
			la moins intéressante	
			la moins populaire	
			la moins divertissante	

Cette émission est de ___	heure(s)	à ___	heure(s)	du matin	au canal ___
				de l'après-midi	
				du soir	

Qu'en penses-tu? 

Modèle:

1. • Selon moi, la meilleure émission de sport est ______
   • ______
2. • Selon moi, le meilleur téléroman est ______
   • ______
3. • Selon moi, le meilleur dessin animé est ______
   • ______
4. • Selon moi, la pire émission policière est ______
   • ______
5. • Je pense que la meilleure comédie est ______
   • ______
6. • Je pense que le pire concours télévisé est ______
   • ______
7. • Je pense que le meilleur vidéoclip est ______
   • ______
8. • Je pense que la meilleure émission éducative est ______
   • ______
9. • Selon moi, la pire émission est ______
   • ______
10. • Je pense que le meilleur film est ______
    • ______

Pour exprimer ses préférences:
le/la/les plus + adjectif
le/la/les moins + adjectif

exemple:
C'est l'émission **la plus** idiote et **la moins** populaire à la télévision.

le/la/les pire(s) + nom
le/la/les meilleur(e)(s) + nom

exemples:
Ce film est **le meilleur** film de l'année.
Cette émission est **la pire** émission à la télévision.

Pour donner son opinion:
Selon moi,...
D'après moi,...
Je pense que...

Pour répondre à une opinion:
Je suis d'accord./Je ne suis pas d'accord.
Tu as raison./Tu as tort.
Je pense que c'est vrai./Je pense que c'est faux.

Qu'est-ce que tu as regardé?

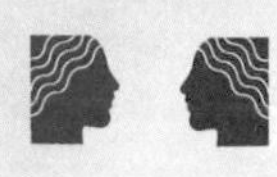

Travaille avec un ou une partenaire. Utilisez le sondage des pages 55 et 56 de ton cahier.

Complète les questions avec le verbe **regarder** au passé = **tu as regardé**.
Réponds aux questions avec le verbe **regarder** au passé = **j'ai regardé**.

Modèle:
- Qu'est-ce que **tu as regardé** à la télé lundi?
- **J'ai regardé** *Alf, The Hogan Family,...*

  ou
- **Je n'ai pas regardé** la télévision lundi.

1. • Qu'est-ce que tu ______ à la télé lundi?
   • ______
2. • Qu'est-ce que tu ______ à la télé mercredi?
   • ______
3. • Est-ce que tu ______ des dessins animés?
   • ______
4. • Est-ce que tu ______ les nouvelles cette semaine?
   • ______
5. • Quelles émissions de sport est-ce que tu ______ cette semaine?
   • ______
6. • Quelles émissions amusantes est-ce que tu ______ cette semaine?
   • ______
7. • Est-ce que tu ______ des vidéoclips cette semaine?
   • ______
8. • Est-ce que tu ______ des émissions éducatives?
   • ______

Pour le plaisir de lire

Cherche dans les articles suivants l'information nécessaire pour répondre aux questions. Attention: Ça peut sembler difficile, mais tu n'as pas besoin de comprendre tous les mots pour pouvoir répondre aux questions.

Le Journal de Montréal, le 2 avril

LES MEILLEURES ET LES PIRES PUBLICITÉS

Sans être scientifique, la petite enquête du *Journal* sur la publicité télévisée et la perception que les téléspectateurs en ont permet d'établir un palmarès des meilleures et pires réclames commerciales. On commence avec les meilleures.

1. Claude Meunier et Lionel Duval pour Pepsi.
2. Les *Fables* de La Fontaine pour Bell Canada.
3. André-Philippe Gagnon pour General Motors.
4. Yves Southière et Nicole LeBlanc pour les Producteurs laitiers du Québec.
5. Mathieu et François pour les Producteurs laitiers du Québec.
6. Le yaourt Délisle.
7. La bière Black Label.

Dans les pires publicités, les choix sont unanimes et plusieurs commerciaux se disputent chaudement la médiocrité. Par ordre d'insignifiance:

1. Le poulet Kentucky.
2. La Ligne en fête 1-976.
3. Au Bon Marché.
4. Coke Classique.
5. Accu-Massage.
6. Loto-Québec.
7. Les couches Pampers.

La publicité, qu'en penses-tu?

Selon cette petite enquête faite au Québec, quelle compagnie a la meilleure publicité?
Quelle compagnie a la pire publicité?
Selon toi, quelle est la meilleure publicité à la télévision?
Selon toi, quelle est la pire publicité à la télévision?

Le Journal de Montréal, le 2 avril

LE VERDICT DES ENFANTS

Une enseignante de l'école Jacques-Cartier de Saint-Hyacinthe, Rita Blanchette, a profité du thème de la publicité télévisée pour demander à ses élèves de 6e année leur opinion là-dessus, dans le cadre d'un travail scolaire.

Voici quelques-unes de leurs impressions.

«Je n'aime pas les annonces de bière car elles ont une mauvaise influence sur les jeunes. J'aime l'annonce de McDonald quand l'homme chante le menu. Il a besoin d'un bon souffle pour dire tous les mots.» (Sébastien Messier).

«J'aime beaucoup le message de Minute Maid. L'air est gai, il met beaucoup de vie dans la maison. Quand tu es triste et que tu l'entends, il te donne le gout de bouger et de sauter.» (Josyanne Côté).

«Je trouve ridicule les messages publicitaires du Coke Classique. Ils font semblant de traire une vache et il y sort du Coke.» (Alix Robidas).

«Il y a un message qui me tape sur les nerfs et c'est l'annonce de Sico. Quand l'homme rit, il le fait tellement mal que je change de poste.» (Mathieu Brillon).

«Le message que je trouve le plus ridicule: le poulet Kentucky à cause des paroles: poc poc poc...» (Marc Bérard).

«L'annonce que je n'aime pas, c'est ABC. C'est très ennuyant et on a l'impression qu'on parle pour parler. C'est ridicule.» (Jean-François Roy).

Quand la vérité sort de la bouche des enfants...

Quelle publicité est-ce que Sébastien Messier aime? Laquelle n'aime-t-il pas?
Est-ce que la publicité de Minute Maid est bonne, selon Josyanne Côté?
Qu'est-ce qu'Alix Robidas pense de la publicité du Coke Classique?
Est-ce que Mathieu Brillon aime la publicité de Sico?
Quelle publicité est-ce que Marc Bérard trouve la plus ridicule?
La publicité pour ABC, c'est bon ou mauvais, selon Jean-François Roy?

Devinez!

Décris une émission (ou une publicité) à tes camarades de classe et laisse-les deviner de quelle émission ou publicité il s'agit. Ils ont droit à trois indices.

Modèle:
Selon moi, c'est l'émission la plus idiote. C'est le lundi.
C'est une comédie.
Qu'est-ce que c'est?

Un débat

— Quelle est ta réaction aux énoncés suivants?
  — Il y a trop de violence à la télévision.
  — La qualité des émissions à la télé est mauvaise.
  — Il n'y a pas assez d'émissions éducatives à la télévision.
  — Les meilleures émissions sont pendant le jour.
  — Les pires émissions sont les plus populaires.
— Est-ce que la télévision est essentielle à la vie moderne?
— Imagine un monde sans télévision. Que fais-tu pour occuper tes moments de loisir?
— Vive ou à bas la télévision?

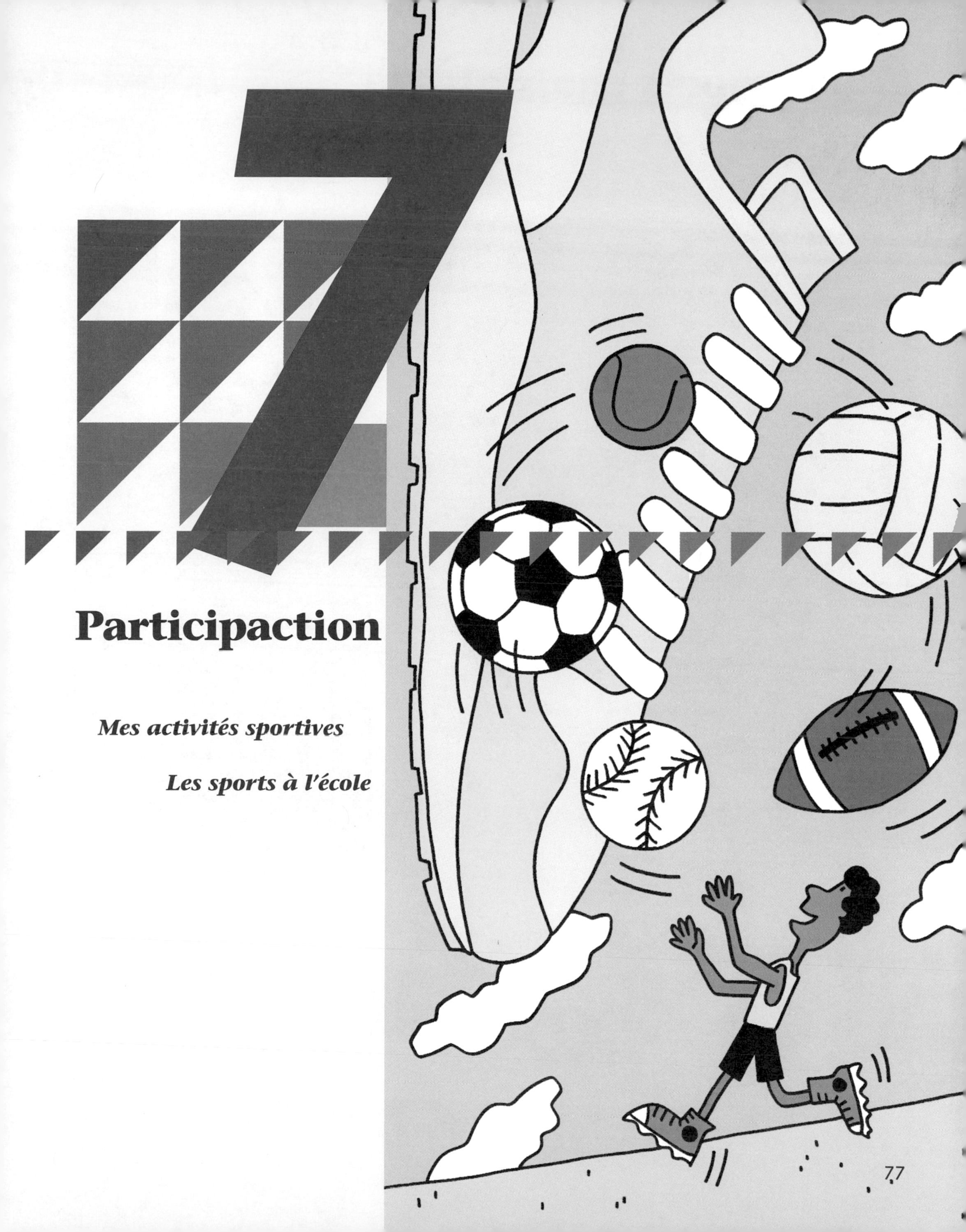

7

Participaction

Mes activités sportives

Les sports à l'école

Quels sports choisir? 

HORAIRE DES ACTIVITÉS

soccer (garçons)
lundi et jeudi,
16 h 15

badminton (mixte)
lundi et mercredi,
16 h 30

basket-ball (filles)
mardi et jeudi,
16 h 30

basket-ball (garçons)
mercredi et vendredi,
16 h 15

danse aérobie (mixte)
lundi, mercredi et
vendredi,
16 h 30

"OUI"

la crosse

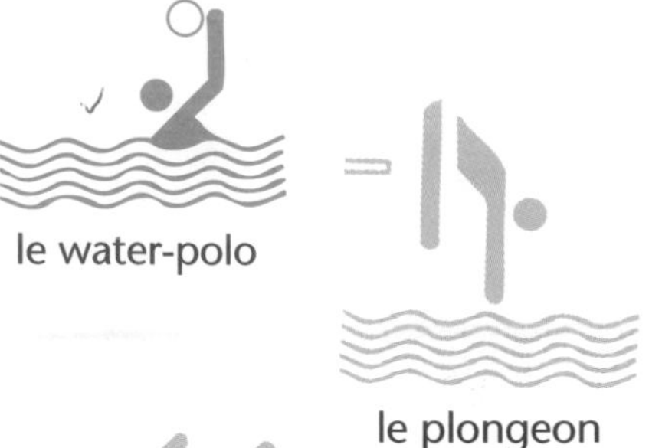

le water-polo

le plongeon

le ski de fond

le football*

le curling

le golf

la gymnastique

la boxe

l'équitation

le tennis

le bowling

le judo

le patinage de vitesse

la voile

Vive les sports!

Quels sports pratiques-tu?
Quels sports aimes-tu beaucoup? un peu? pas du tout?
Quel est ton sport favori?
Quels sports pratique-t-on dans ton école?
Quels sports regardes-tu à la télévision?
Quels sports aimerais-tu pratiquer?
Quels sports aimerais-tu essayer?
Quels sports trouves-tu dangereux? ennuyeux? difficiles?

l'escrime

l'alpinisme

le cyclisme

le karaté

l'athlétisme

la lutte

le hockey

l'haltérophilie

* Voir l'info-clip de la page 82

Les emprunts

Le hockey, le football, le base-ball, le soccer, le curling, ce sont tous des mots que le français a empruntés à l'anglais. Il y a aussi le bowling, le basket-ball et le volley-ball, mais, au Canada, on dit aussi les quilles, le ballon-panier et le ballon-volant.

Connais-tu des mots qu'on utilise en anglais qui sont des emprunts du français?

Vous vous y connaissez?

Travaillez en groupes pour trouver les réponses. Le groupe gagnant est celui qui répond correctement au plus grand nombre de questions.

Modèle:
Combien y a-t-il de joueurs dans une équipe de football américain?
Réponse: Il y en a douze.

Combien y a-t-il de joueurs dans une équipe de hockey?
Combien y a-t-il de joueurs dans une équipe de base-ball?
Combien y a-t-il de joueurs dans une équipe de basket-ball?
Combien y a-t-il de joueurs dans une équipe de soccer?
Combien y a-t-il de joueurs dans une équipe de volley-ball?

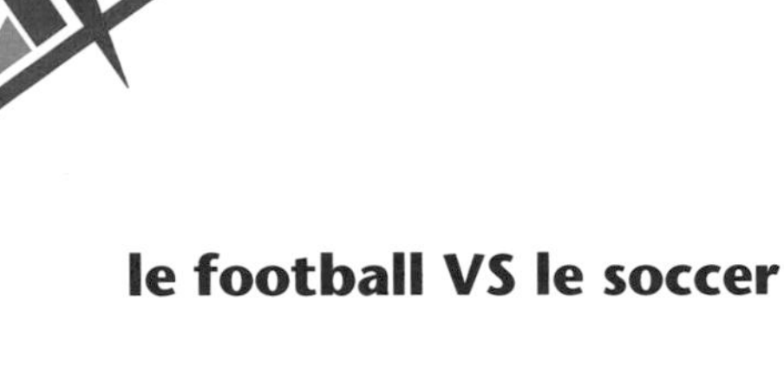

le football VS le soccer

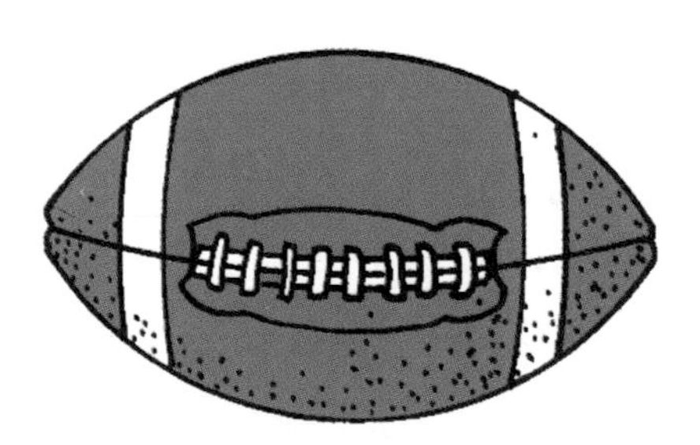

En France, on joue au **football**, et non au **soccer**, comme en Amérique. On dit aussi le **foot**.

Quand on veut dire qu'on joue au football, on dit qu'on joue au **football américain**.

Carole est une grande sportive.
Elle **fait de la** natation, elle **fait du** ski, elle **joue à la** balle molle et elle **joue au** hockey.

Tu as remarqué?

On dit:

Je joue	**au** base-ball.	Je fais	**du** ski.
	au hockey.		**du** vélo.
	au basket-ball.		**de la** voile.
	à la balle molle.		**de l'**équitation.

Tu as compris l'usage?

Êtes-vous bons mimes?

Mime un sport devant la classe et laisse les autres élèves te poser des questions. Réponds seulement par un signe de la tête indiquant “oui” ou “non”.

Probable ou improbable?

Pour le jeu, découpez les cartes qui se trouvent aux pages 107 à 109 du cahier et utilisez le tableau de vérification à la page 111. Vous avez 2 points quand la phrase est correcte et probable, et 1 point seulement quand la phrase est correcte mais improbable.

En été, je fais de la natation.
En hiver, je fais du ski.
En automne, je joue au football.
Au printemps, je joue au base-ball.

INFO-CLIP

LA RINGUETTE

La ringuette, un sport canadien à l'origine exclusivement féminin, qui se pratique maintenant en Finlande, en France, en Allemagne et aux États-Unis.

Jeu moins connu mais proche parent du hockey, la ringuette existe depuis 23 ans. Sam Jack, un Ontarien, l'a inventée en 1964. Il trouvait dommage que seuls les garçons aient un sport d'hiver excitant, et que les filles n'aient que le loisir de regarder frères et amis sur la patinoire. Aussi a-t-il créé la ringuette, un sport canadien à l'origine exclusivement féminin, qui se pratique maintenant en Finlande, en France, en Allemagne et aux États Unis.

Tiré de *Vidéo-Presse*, Vol. XVII, nº 7, mars 1988.

INFO-CLIP

Discute de tes expériences personnelles

L'année dernière, as-tu joué ______ ?

(Burton McNeely/The Image Bank Canada)

au tennis

(Tony Stone Worldwide/Masterfile)

au soccer

Oui, j'ai joué ______

ou

Non, je n'ai pas joué ______

suggestions:
au water-polo
au jeu de la crosse
au squash
au bowling
au hockey sur patins à roulettes
au curling
au ping-pong
au football

L'année dernière, as-tu fait ______ ?

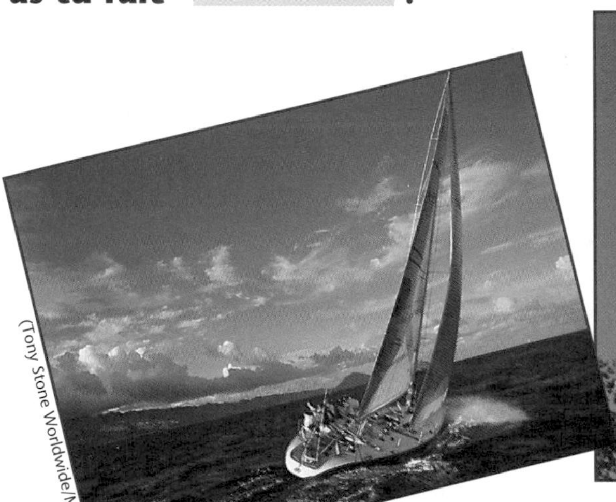

(Tony Stone Worldwide/Masterfile)

de la voile

(Burton McNeely/The Image Bank Canada)

de l'alpinisme

suggestions:
du plongeon
de l'haltérophilie
de la boxe
du ski nautique
du karaté
de l'escrime
du ski de fond

Oui, j'ai fait ______

ou

Non, je n'ai pas fait de ______

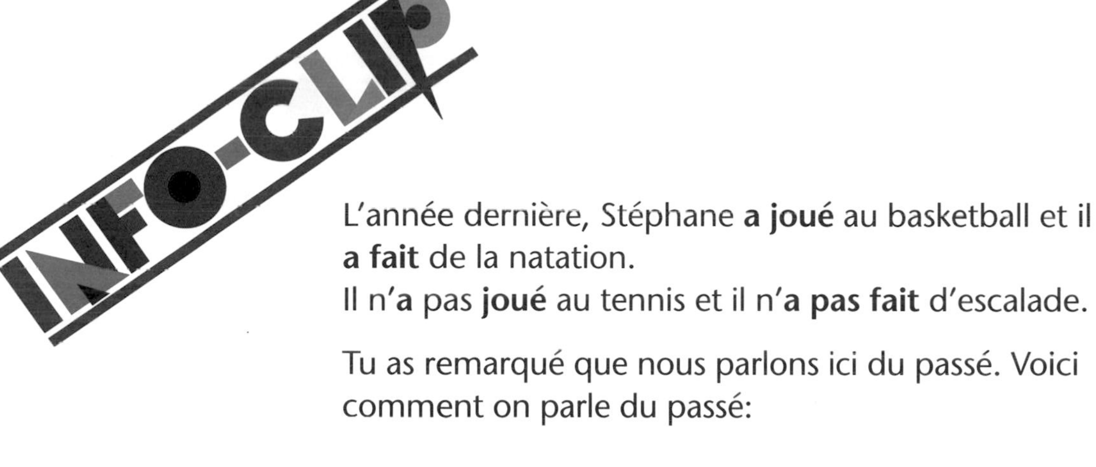

L'année dernière, Stéphane **a joué** au basketball et il **a fait** de la natation.
Il n'**a** pas **joué** au tennis et il n'**a pas fait** d'escalade.

Tu as remarqué que nous parlons ici du passé. Voici comment on parle du passé:

J'ai
Tu as
Il/Elle/On a
Nous avons
Vous avez
Ils/Elles ont

{ joué au ping-pong.
{ fait de la natation.

Devine ce qu'on a fait

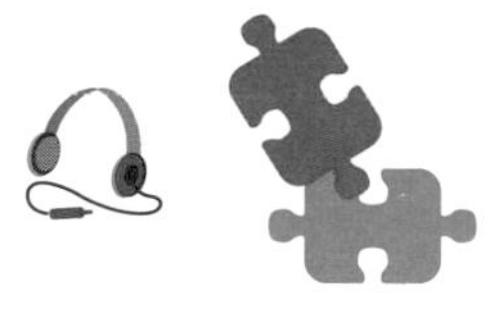

Écoute bien la bande. Tu vas entendre des indices. Devine quel sport on a pratiqué.

Modèle:
Marc a joué avec un ballon rond. Il a passé le ballon avec ses pieds ou sa tête.
À quoi est-ce qu'il a joué?

Réponse: Il a joué au soccer.

Pour le plaisir de lire

Les postures impossibles

Voici quelques exercices qui paraissent très simples et qui sont pourtant impossibles. Je vous défie de les réussir, si souples et si forts que vous soyez.

1. Appuyez un côté de votre corps: pied, hanche et épaule contre un mur, et essayez de lever votre autre pied du sol.

2. Appuyez vos talons et votre dos contre un mur, et essayez de prendre un objet par terre devant vous, sans plier les genoux.

3. Rien de plus facile que de se lever sur le bout des orteils, n'est-ce pas? Eh! bien, essayez de le faire en appuyant votre poitrine et votre nez contre l'extrémité d'une porte!

Tiré de *Encore des expériences,* Collection des petits débrouillards.

Comment être en forme sans faire de jogging

Le jogging, c'est très bien. Mais il y a bien d'autres moyens d'être en forme.

Par exemple...Allez jouer dans le parc, Marc. Faites de la raquette, Huguette. Jouez au golf, Adolphe. Faites du vélo, Léo. Prenez des cours de danse, Hortense. Et si ça ne suffit pas...faites de l'escrime, Onésime. Ou du ski de randonnée, Renée. Faites ce que vous aimez, Aimé.

Après tout... Vous pouvez vous baigner dans la mer, Omer. Escalader une montagne, Charlemagne. Faire du patin à roulette, Ginette. Ou juste aller dehors, Hector. Parce qu'il est temps de remonter vos manches, Blanche. De faire un effort, Nestor. De montrer que vous êtes capable, Amable.

Et bientôt... Vous retrouverez votre haleine, Hélène. Vous sortirez de la cave, Gustave. Vous aurez l'air bien plus fin, Séraphin. Vous deviendrez un as, Jonas. Vous serez encore plus belle, Isabelle.

Pensez-y... Trois fois par semaine, Philomène. Quinze minutes chaque fois, François. L'important, c'est de commencer, André, Barnabé, Dieudonné et Zoé.

Y a-t-il autant de façons d'être en forme qu'il y a de gens qui veulent être en forme? Oui, Louis...et comment, Armand.

Sommes-nous sportifs?

Essaie de découvrir si ta classe est sportive.

Aide-toi du sondage à la page 67 de ton cahier.

8

Pour passer le temps . . . il y a les passe-temps

Les passe-temps

Les collections

Les expositions

Mes loisirs

Notre exposition

La B.D., ça déride!

Pour passer le temps...

Qu'est-ce que tu fais pour t'amuser, te relaxer, occuper tes moments de loisir? Discute de ce que tu aimes faire avec tes camarades de classe, en petits groupes ou avec toute la classe.

Suggestions:
Je fais du sport.
Je regarde la télé.
Je joue à des jeux électroniques avec mon ordinateur.
Je rencontre mes amis.
Je collectionne des timbres.
des bandes dessinées.
des posters.
des écussons.
des...
Je construis des modèles réduits.
des...
Je prends des cours de danse.
de judo.
de...
J'écoute de la musique.
Je joue du piano.
du/de la...
Je...

Imagine qu'il y a une exposition comme celle dans cette unité à ton école. Qu'est-ce que tu présenterais?

Voici quelques bandes dessinées connues des jeunes (et moins jeunes) francophones.

Les aventures de Tintin

Tintin avec son chien Milou, le capitaine Haddock et les deux détectives Dupont et Dupond.

Astérix

Astérix avec son ami Obélix. Le petit chien d'Obélix s'appelle Idéfix.

Babar

Le roi Babar et la reine Céleste

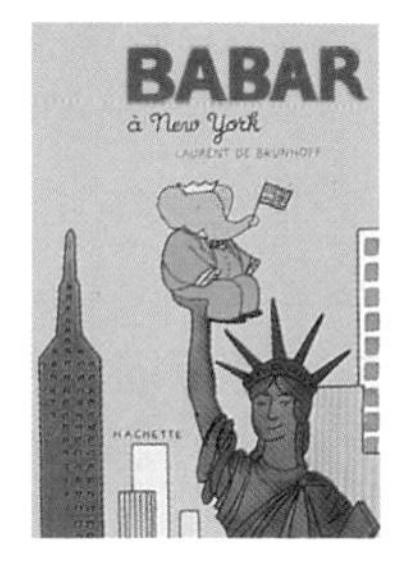

Tu connais certainement les bandes dessinées suivantes, mais connais-tu leur nom en français?

Voici **les Schtroumpfs.**

Voici **les Pierrafeu.**

INFO-CLIP

Pour dire à **une** personne de faire quelque chose:

Saute!
Donne-moi ton crayon!
Ajoute 5!
Finis ton travail!
Fais attention!
Prends ton temps!
Assieds-toi!

Amusons-nous!

Voici deux jeux avec des nombres. Essaie-les avec ton ou ta partenaire. Tu peux ensuite essayer l'un ou l'autre avec d'autres personnes de ta classe.

Pour deviner l'âge et le mois de naissance de ton ou ta partenaire:

1. Demande à ton ou ta partenaire de prendre le chiffre de son mois de naissance (janvier = 1, février = 2, etc.).
   - Prends le chiffre de ton mois de naissance.
2. Dis-lui de multiplier (x) ce chiffre par 2.
   -
3. Dis-lui d'ajouter (+) 5.
   -
4. Dis-lui de multiplier (x) le résultat par 50.
   -
5. Demande-lui d'additionner (+) son âge à ce résultat.
   -
6. Demande-lui d'enlever (-) 365 de ce total.
   -
7. Demande-lui de te donner le résultat.
   - Donne-moi le résultat.

Calcule toi-même son âge et son mois de naissance. C'est facile: ajoute 115 au résultat. Les chiffres de droite = l'âge; le ou les chiffres de gauche = le mois de naissance.
(Ex.: 312 = 12 ans, mois de mars; 1211 = 11 ans, mois de décembre.)
Dis-lui son âge et son mois de naissance.

- Tu as ______ ans. Tu es né(e) au mois de ______

Pour deviner le nombre pensé par ton ou ta partenaire:

1. Demande à ton ou ta partenaire de penser à un nombre.	• Pense à un nombre.
2. Dis-lui de multiplier (x) le nombre par 2.	•
3. Dis-lui d'ajouter (+) 6.	•
4. Dis-lui de multiplier (x) le total par 10.	•
5. Dis-lui d'ajouter (+) 16.	•
6. Dis-lui de multiplier (x) le total par 5.	•
7. Demande-lui de te donner le résultat.	•

Prends le résultat et soustrais (-) 380. Enlève les deux derniers chiffres, et voilà! Exemple: Le résultat de ton partenaire est 1880. (1880 - 380 = 1500) Le chiffre qu'il ou elle a choisi est 15.)

- Le chiffre que tu as choisi est ______, n'est-ce pas?

Mystère et boule de gomme!

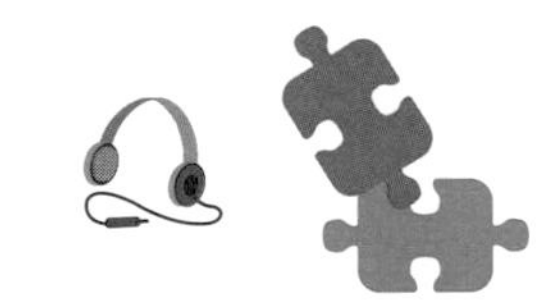

Voici une question mystère: **Comment est-ce qu'une personne peut passer par un trou fait dans une feuille de papier?**

Discutez de la solution en petits groupes. Écoutez ensuite la solution sur la bande. (Il vous faut une feuille de papier et des ciseaux.)

Pour dire à **plusieurs** personnes de faire quelque chose:

Pliez la feuille en deux!
Coupez!
Multipliez ce nombre par 5!
Faites attention!
Levez la jambe gauche!
Sautez!
Asseyez-vous!

Comment as-tu fait cela?

Mets les actions en ordre en utilisant les mots: **D'abord**
Ensuite
Finalement

Modèle: Comment as-tu fait cette bande dessinée?

j'ai corrigé mes dessins et j'ai fait mes dessins au propre avec de la couleur.

j'ai pensé à l'histoire dans ma tête.

j'ai fait mes premiers dessins au brouillon.

D'abord, j'ai pensé à l'histoire dans ma tête.
Ensuite, j'ai fait mes premiers dessins au brouillon.
Finalement, j'ai corrigé mes dessins et j'ai fait mes dessins au propre avec de la couleur.

1. **Comment as-tu fait ce croque-monsieur?**

j'ai mis au four pendant 15 minutes.

j'ai ajouté une tranche de fromage, une rondelle de tomate et une tranche de jambon.

j'ai pris une tranche de pain.

2. **Comment as-tu fait cette sculpture de glace?**

j'ai pris un bloc de neige.

j'ai sculpté la neige.

j'ai arrosé avec de l'eau.

3. **Comment as-tu fait ce vase de céramique?**

j'ai modelé la terre en forme de vase.

j'ai peint le vase.

j'ai mis au four pour faire cuire.

4. **Comment as-tu fait cet avion de papier?**

j'ai plié chaque coin de la feuille trois fois.

j'ai plié une feuille de papier en deux.

j'ai plié chaque côté vers l'extérieur.

5. **Comment as-tu fait ce modèle réduit d'auto?**

j'ai installé les portes, les pneus et le moteur.

j'ai collé ensemble les pièces de l'auto.

j'ai peint l'auto.

Que faut-il?

Partie A:
Quelle(s) qualité(s) faut-il pour faire les choses suivantes?

Vous pouvez discuter des différentes possibilités en petits groupes et ensuite en discuter avec le reste de la classe.

Suggestions: du talent, de la patience, de la flexibilité, de la force, de la méticulosité, de la persévérance, de la précision, de la concentration, etc.

Modèle: Pour faire des bandes dessinées, il faut de la patience et du talent.

1. Pour résoudre des problèmes de mathématiques, ______
2. Pour faire de la danse (ballet, aérobie, jazz, etc.), ______
3. Pour jouer à des jeux électroniques, ______
4. Pour collectionner des choses, ______
5. Pour ______ ______

Partie B:
Que faut-il pour faire les choses suivantes?

Suggestions: savoir nager, être flexible, savoir dessiner, lire beaucoup, savoir patiner, être en forme, être prudent, se pratiquer souvent, être patient, etc.

Modèle: Pour courir 20 kilomètres, il faut être en forme.

1. Pour faire des bandes dessinées, ______
2. Pour faire de la gymnastique, ______
3. Pour jouer au hockey sur glace, ______
4. Pour faire de la planche à roulettes (rouli-roulant), ______
5. Pour ______ ______

Il faut de la patience = **Il est nécessaire** d'avoir de la patience.
Il faut savoir dessiner = **Il est nécessaire** de savoir dessiner.

des cartes de base-ball

des pièces de monnaie

Les gens collectionnent toutes sortes de choses. En voici des exemples:

des animaux en peluche

des cartes postales

des écussons

des clés

des bijoux

En connais-tu d'autres?
Est-ce que tu as une collection? Qu'est-ce que tu collectionnes?
Est-ce que tu connais des personnes qui ont des collections?
Qu'est-ce qu'elles collectionnent?
Selon toi, quelles sont les collections les plus populaires?
Connais-tu des collections bizarres?
Quelles collections coûtent très cher?

des cuillères

des stylos

des modèles réduits

des poupées

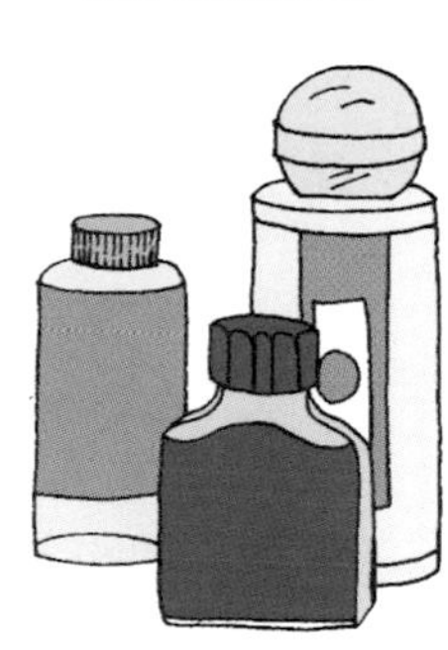
des bouteilles

des timbres

des autos de sport

des disques

Notre exposition (suite)

Pour le plaisir de lire

Le sculpteur d'objets géants

Me voici avant de commencer l'entrevue dans une situation presque irréelle. Alain Boire et moi, nous sommes assis dans son salon. Autour de nous, il y a un hameçon de 1,21 m, une gomme à effacer et un popsicle de 76 cm et un bâton de baseball de 2,4 m. Et, bien sûr, il y a aussi les deux objets records homologués dans le "Guinness" en 1986: la brosse d'acier et la boîte de cure-dents.

C'est vrai que vous êtes inscrit dans le livre des Records?
Mais oui. (Il me montre même l'endroit dans le gros livre rouge — le "Guinness" — à la section "Insolites et exploits".) J'ai reçu mes cartes de "recordman" dernièrement, directement du bureau d'homologation de Paris. Record pour la plus grande boîte de cure-dents: 76 cm de largeur x 63 cm de longueur x 25 cm d'épaisseur (en comparaison, une petite boîte ordinaire fait dans les 5 cm x 7,5 cm x 2,5 cm). Record pour la plus grosse brosse d'acier: 2,4 m de hauteur, avec de vrais poils en acier-ressort de 25 cm.

Dites-moi: pourquoi vous intéressez-vous au monde des objets?
Au départ, je suis fasciné par les objets que l'on néglige. Les objets de tous les jours: allumette, gomme à effacer, attache à pain. Je suis sculpteur. J'essaie de reproduire les choses qui me touchent, moi, dans ma vie.

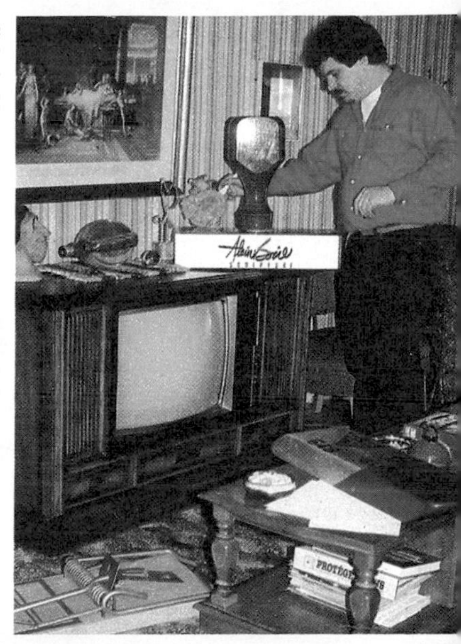

Mais il faut de l'habileté pour reproduire un objet dans des proportions gigantesques?
Pour moi, c'est l'expérience. À l'école, ma classe préférée, c'était les arts plastiques. Ensuite, je suis allé au cégep et à l'université et j'ai fait un cours en arts plastiques. J'ai appris des techniques nouvelles et j'ai appris à travailler avec du bois, du métal, du plastique, de la céramique. C'était fantastique.

Quel matériau préférez-vous?
Le plastique.

Mais quelle est votre méthode de travail pour agrandir un objet?
Prenons l'exemple du popsicle que j'ai fait en 1981. D'abord, j'ai acheté un vrai popsicle pour en prendre les dimensions et en observer chaque petit détail. Ensuite, c'est un jeu de multiplication.

Mais comment faites-vous l'objet?
Bon, le popsicle est en polyester, une sorte de plastique dur. D'abord, j'ai acheté le polyester. Ensuite, j'ai fabriqué un moule en aluminium pour pouvoir donner une forme à mon popsicle. Ensuite, j'ai versé mon polyester mou dans le moule par couches successives et j'ai ajouté une couleur différente (bleu, blanc, rouge) à chaque couche. Finalement, j'ai laissé durcir et j'ai démoulé le popsicle. Et voilà, un popsicle géant!

Tiré et adapté de *Vidéo-Presse*, Vol. xviii, numéro 3, novembre 1987.

Projet: Présentation à la classe

Choix #1: Parle de ton passe-temps favori.

Qu'est-ce que c'est?
Qu'est-ce qu'il te faut pour le faire?
Quand as-tu commencé?
Où fais-tu cela? Avec qui?
Comment ça se fait?
etc.

Choix #2: Présente ta collection.

Qu'est-ce que c'est?
Quand as-tu commencé?
Combien d'items as-tu?
Où as-tu trouvé ou acheté ces objets?
Quels sont tes objets préférés?
etc.

Choix #3: Démontre à la classe comment faire quelque chose.

(Si c'est assez simple, tu peux le faire faire à la classe
pendant que tu donnes les directions
comment le faire.)
Qu'est-ce que c'est?
Qu'est-ce qu'il faut?
Comment est-ce que ça se fait?
etc.

Les autres élèves vont apprendre beaucoup de toi et tu vas
apprendre beaucoup des autres. Tu vas voir!

9

Cher journal...

Mon journal intime

Mes pensées

Les événements importants de ma journée

Le journal de Sophie

Regarde! Voici le journal intime de Sophie. Que contient-il, selon toi?

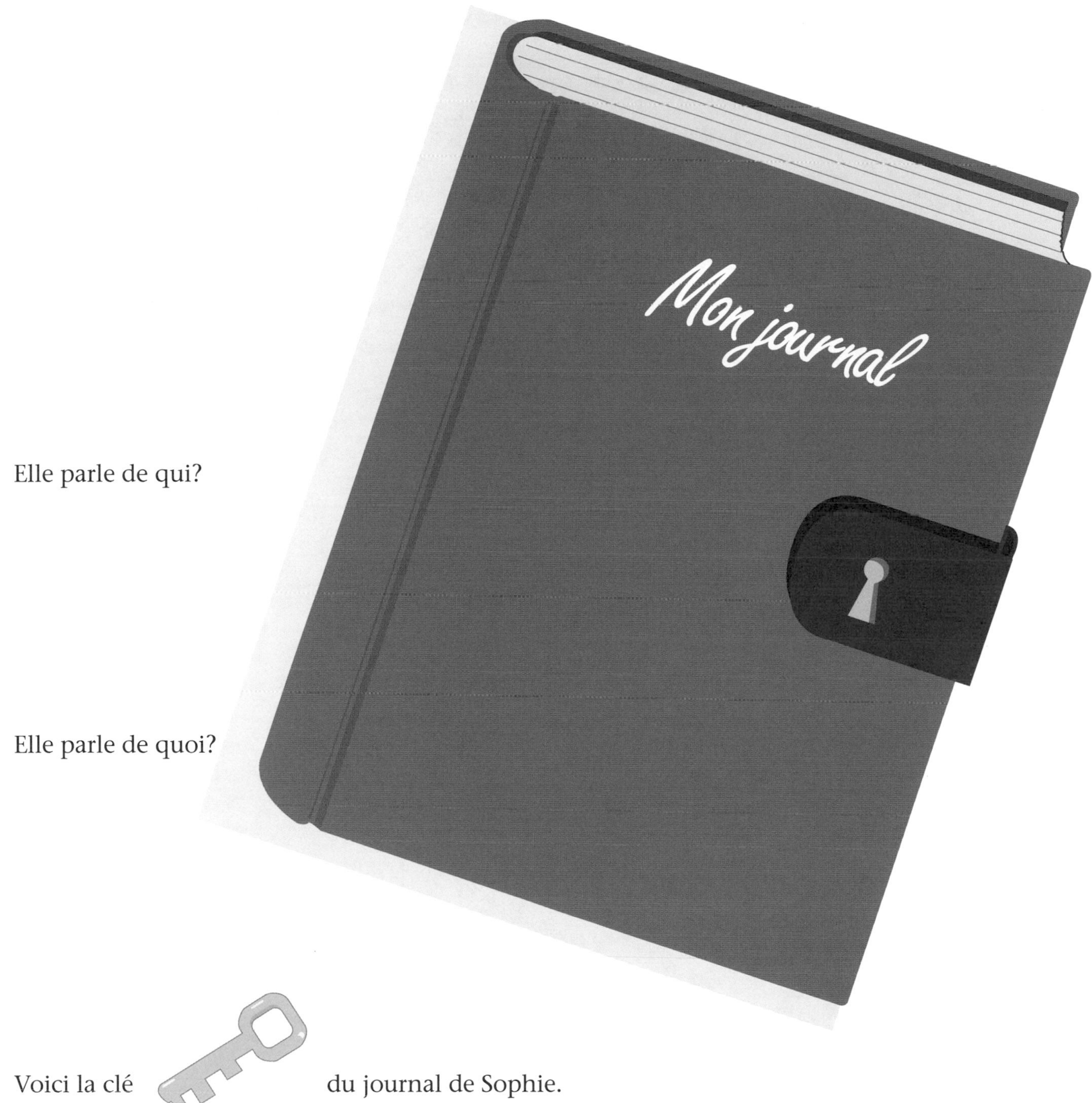

Elle parle de qui?

Elle parle de quoi?

Voici la clé du journal de Sophie.

Ouvrons-le pour connaître les réponses à nos questions...

dimanche

Le 27 août.

Cher journal,
L'école commence demain. Je
suis un peu nerveuse. J'ai
parlé à mon amie Maria au
téléphone. Elle est nerveuse
aussi. Je n'ai pas
rencontré Vincent de l'été.
J'espère qu'il n'a pas
changé ses cheveux.

mercredi

Le 30 septembre.

Quel désastre!
J'ai refusé l'invitation de
Vincent à aller au cinéma
avec lui. Pourquoi? Je ne
sais pas. C'est fou, non?
Que je suis idiote! C'est
seulement un film après
tout. Est-ce que je trouve
Vincent intéressant? Des
fois, oui. Des fois, non.
Je trouve Stéphane plus
beau, mais il ne me
parle jamais!

lundi

Le 18 octobre.

Cher journal,
Aujourd'hui, journée bien
ordinaire et ennuyeuse. J'ai
attendu l'autobus ce matin,
comme d'habitude! J'ai écouté
mes profs, comme d'habitude! Le
prof de maths a donné beaucoup de
devoirs, comme d'habitude! Maria
et moi, nous avons parlé ensemble,
comme d'habitude! J'ai aidé mes
parents à préparer le souper, comme
d'habitude! J'ai regardé la télé,
comme d'habitude! Etc... Etc... Etc...,
comme d'habitude! Maintenant, je me
couche, comme d'habitude! Bonne nuit!

samedi

Le 1er décembre.

Cher journal,

Rien à dire. Trop fatiguée.

dimanche

Le 31 janvier.

Mon frère, toujours mon frère! Il a toujours tout, celui-là! C'était sa fête aujourd'hui. Il a eu une moto en cadeau de papa et maman. Il est le préféré de mes parents, c'est sûr!

jeudi

Le 13 mars.

Quelle chance! Stéphane a décidé de me parler finalement! Nous avons travaillé ensemble pendant une demi-heure à la bibliothèque. Je pense que le 13 est mon chiffre chanceux. J'ai treize ans aujourd'hui et c'est le 13 mars. Mon équipe de basket-ball a gagné contre celle de l'école Marguerite-Bourgeois. J'ai compté dix points. Stéphane a regardé le match. Quelle journée fantastique! Ah oui, je travaille encore avec Stéphane demain. À suivre... (j'espère)...

De bons ou de mauvais poils?

Fais autant de phrases que possible avec les éléments suivants:

				heureuse
				malheureuse
				nerveuse
	27 août,			inquiète
	30 septembre,			désespérée
	18 octobre,		(très)	fatiguée
Selon moi, le	1er décembre,	Sophie est		contente
	31 janvier,		(un peu)	déprimée
	13 mars,			morte d'ennui
				perplexe
				négative
				enthousiaste
				fâchée
				triste
				insensible

Selon moi, en règle générale, Sophie est plutôt ____________

Qu'est-ce qu'ils écrivent?

Imagine ce que les personnes suivantes écrivent dans leur journal.
Choix de verbes: **perdre**, **dormir**, **vendre**, **réussir**, **manger**

Qui a écrit ça?

Essaie de deviner de quel endroit francophone sont les personnes qui ont écrit ces entrées de journal.

St-Boniface (Manitoba)

Le 23 juin,
Cher journal,
Aujourd'hui, c'était la dernière journée d'école. Enfin libre! Les vacances sont enfin arrivées. J'ai eu l'emploi chez McDo. Je commence le 1er juillet. Tu sais que je suis quand même un peu malheureuse aujourd'hui. Je ne vais pas voir Marc-Antoine avant septembre. Il part en voyage avec ses parents. Mes amis et moi, on va aller voir les feux de la Saint-Jean demain sur les plaines d'Abraham. Ça va peut-être me changer les idées.

Le 10 juillet.
Cher journal,
Nous avons pris beaucoup de poissons aujourd'hui. J'aime bien travailler avec mon père l'été, mais la paye n'est pas bonne. J'ai quand même assez d'argent maintenant pour sortir avec Stéphanie. Je crois qu'elle ne me déteste pas trop. Après tout, elle a accepté d'aller au cinéma avec moi. Ah, les filles! On ne sait jamais ce qu'elles pensent!

Le 3 février.
Cher journal,
Quelle aventure! Des vacances de ski dans les Alpes, c'est bien, mais ça peut être dangereux! Aujourd'hui, on a vu une avalanche qui a commencé à dévaler la montagne. J'ai crié à Suzanne et nous sommes descendues à toute vitesse. Personne d'autre n'était sur la montagne. Heureusement! Je me suis montrée courageuse, mais j'ai eu la peur de ma vie.

Bruxelles

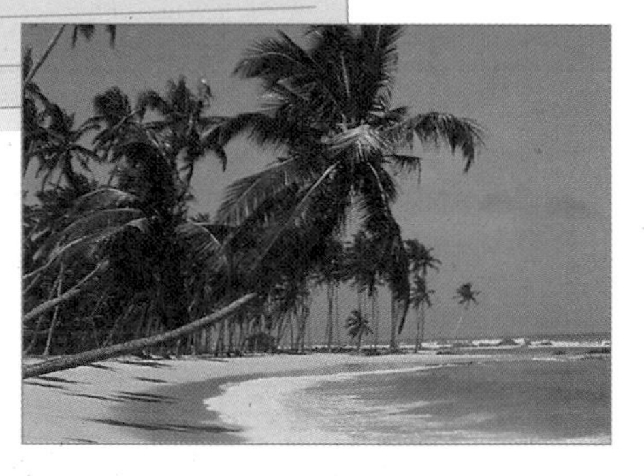

la Martinique

Le 10 mai.

Cher journal
Je n'ai pas fait beaucoup d'argent aujourd'hui. Je n'ai vendu que quelques bouquets de fleurs. Il n'y a pas beaucoup de touristes à ce temps-ci sur la Grand-Place. Je suis très fatiguée.
À demain, cher journal.

Le 16 mars.

Cher journal,
Ah, j'ai mal aux pieds.
Les touristes passent la journée à la plage et quand ils arrivent ils ont toujours très soif! "Garçon, un cola, s.v.p." "Garçon, servez-nous quelque chose à boire. On a soif." "Garçon!" "Garçon!"
Oh là là! J'en ai marre, moi!

Le 13 juin

Cher journal,
J'ai presque eu un accident en allant au Centre culturel franco-manitobain à bicyclette. Un gros camion a passé sur le feu rouge. Je ne suis pas superstitieux, mais c'est bien vendredi le 13 aujourd'hui.
Peut-être que c'est vrai, ces histoires de superstition, après tout!

Québec

Pointe-de-l'Église (Nouvelle-Écosse)

Les Diablerets (Suisse)

Comme dans les exemples ci-dessous, quand on parle de soi et des personnes et des choses qui nous entourent, on utilise souvent des adjectifs possessifs. Tu pourrais en avoir besoin pour écrire ton journal.

Tu les connais bien sûr déjà. Ils sont:

masculin:	mon*	ton*	son*	notre	votre	leur
féminin:	ma	ta	sa	notre	votre	leur
pluriel:	mes	tes	ses	nos	vos	leurs

* attention: devant un nom féminin qui commence par une voyelle, on utilise quand même *mon, ton* ou *son*. C'est plus facile à prononcer comme ça.

ex.: mon amie
ton école
son émission préférée

Qui est le pessimiste?
Qui est l'optimiste?

Cher journal,
Ce n'est vraiment pas drôle d'avoir 13 ans et en plus d'avoir un frère jumeau. Nous faisons toujours tout ensemble. Quelle barbe! Nos parents sont indifférents à nos disputes. Ils disent que nos problèmes, ce sont nos problèmes, et pas leurs problèmes. Nous avons un chien. Bien sûr, c'est mon chien quand il veut aller dehors et c'est son chien quand il veut jouer avec lui.
Jean

Cher journal,
13 ans. C'est le bel âge! Il y a beaucoup de choses à faire. En plus, j'ai un frère du même âge que moi. Il est mon frère jumeau. C'est bien. J'ai toujours quelqu'un à qui parler et nos parents sont très compréhensifs. Ils nous laissent régler nos problèmes tout seuls. Mon frère et moi, nous avons un chien. Notre meilleur ami, c'est notre chien!
Jacques

Pour le plaisir de lire

La vérité est dans le mensonge

Patrick a écrit le mensonge suivant dans son journal.

jeudi

Cher journal,

pour moi ça va bien aujourd'hui mais
je n'ai pas fait mon devoir de math parce que je suis
distrait, j'ai laissé mes livres à l'école. Je ne suis pas
paresseux comme mes amis.
Ça ne m'arrive pas souvent d'oublier mes effets scolaires.
Mon père n'est pas
fâché parce qu'il sait que d'habitude je fais tous mes devoirs, mais moi je ne suis pas
content parce que je ne vais pas être avancé comme les autres.
J'ai voulu le faire ce matin mais je suis arrivé trop tard à l'école.

Pourtant, Patrick a aussi écrit la vérité. La vérité est caché dans ce texte mensonger. Il y a un moyen facile de la trouver. (La réponse se trouve à la page 86 de ton cahier.)

Mon journal

- Prends le journal que tu as écrit dans ton cahier.
- Essaie de l'améliorer (avec l'aide d'un ami ou d'une amie, si tu veux).
- Discute (si tu veux) de tes idées avec tes camarades de classe.

10

Les voyages forment la jeunesse

Les voyages dans l'espace

Mes voyages

Le pays de mes rêves

Astronautes à douze ans

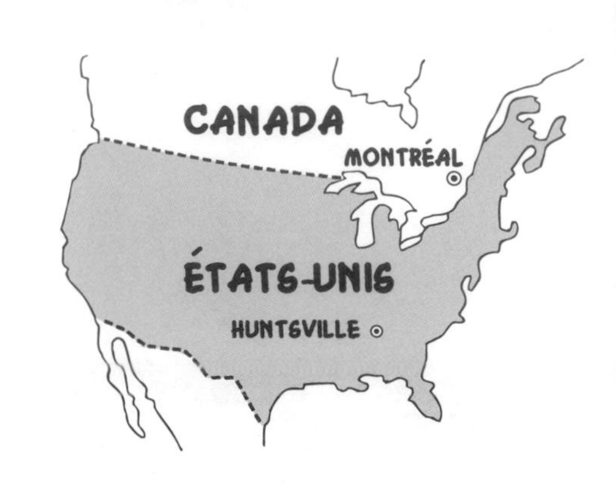

Kathleen Laplante a 13 ans. Steve Legault, 12 ans. Tous deux habitent à Brossard, près de Montréal. Que font-ils en costume d'astronautes? Du 5 au 12 mars dernier, Kathleen et Steve se sont entraînés comme de véritables astronautes. Avec 40 autres élèves de l'école secondaire Pierre Brosseau, ils ont passé une semaine au U.S. Space Camp à Huntsville, dans le sud des États-Unis.

À Huntsville, les Québécois ont passé la semaine en compagnie de 200 jeunes Américains. Regroupés en équipes, ils ont imaginé, puis construit avec des pièces genre Légo, une maquette d'une station spatiale.

Les apprentis astronautes ont aussi goûté à la nourriture déshydratée emportée dans l'espace. Leur verdict: "Meilleure que la nourriture de la cafétéria." La crème glacée, par contre, avait la consistance d'une barre Crunchy.

Ils ont aussi essayé des costumes d'astronautes, regardé des films en trois dimensions ("Wow"), écouté des conférences sur les métiers du futur, et beaucoup plus.

KATHLEEN LAPLANTE

STEVE LEGAULT

Un voyage au U.S. Space Camp, ça se prépare longtemps à l'avance. Pendant un an, les apprentis astronautes de Brossard ont rencontré leur prof de géo., Robert Hurteau, après les heures de classe, pour s'initier à l'aventure spatiale. Ils ont aussi travaillé très fort pour payer le voyage de 1 000$. Les parents ont payé la moitié. Pour se procurer les 500$ manquants, ces débrouillards ont organisé des discos, un brunch, une soirée Las Vegas, des ventes de chocolats, etc.

Depuis son ouverture, en 1982, le U.S. Space Camp de Huntsville a accueilli 26 000 étudiants. On peut y aller en groupe, ou seul. Il faut réserver 10 mois à l'avance. Plusieurs programmes sont offerts aux étudiants et même aux adultes!

Pour plus d'informations, communique avec:

"U.S. Space Camp"
c/o Thomas J. Burby
Space Camp Supervisor
The Space and Rocket Center
One tranquility base
Huntsville, Alabama 35807
(205) 721-7182

Je me petit débrouille, juin 1988

Imagine!

Utilise la carte des pages 144 et 145 de ton livre pour t'aider à trouver le nom des pays en français.

- Imagine que tu as cent mille dollars pour faire un voyage. Où est-ce que tu vas?
- ______ Et toi?
- ______

- Imagine que tu as de l'argent pour faire un petit voyage d'une fin de semaine. Où est-ce que tu vas?
- ______ Et toi?
- ______

- Imagine que tu peux faire un voyage au Canada. Où est-ce que tu vas?
- ______ Et toi?
- ______

- Imagine que tu peux faire un voyage en Europe. Où est-ce que tu vas?
- ______ Et toi?
- ______

- Imagine que tu peux faire un voyage n'importe où au monde. Où est-ce que tu vas?
- ______ Et toi?
- ______

le	Canada Japon Nouveau-Brunswick Vermont Yukon	Je vais **au**	Canada Japon Nouveau-Brunswick Vermont Yukon
la	Belgique France Nouvelle-Écosse Colombie-Britannique Californie	Je vais **en**	Belgique France Nouvelle-Écosse Colombie-Britannique Californie
l'	Afrique Ontario Alberta Angleterre Alabama	Je vais **en**	Afrique Ontario Alberta Angleterre Alabama

attention:

l' Île-du-Prince-Édouard	Je vais **à l'**	Île-du-Prince-Édouard
Terre-Neuve	Je vais **à**	Terre-Neuve
les États-Unis Territoires du Nord-Ouest	Je vais **aux**	États-Unis Territoires du Nord-Ouest
Toronto Moncton Calgary Londres Hawaï	Je vais **à**	Toronto Moncton Calgary Londres Hawaï

Comment y vas-tu?

Modèle:

- Tu es à Montréal. Tu veux aller à Victoria en Colombie-Britannique. Comment y vas-tu?
- J'y vais en avion. *ou* J'y vais en auto et en traversier. *ou* J'y vais par le train.

- Tu es astronaute. Tu pars bientôt pour la Lune. ?
-
- Tu es en Alaska. Tu dois aller à l'hôpital. Il y a trop de neige pour y aller en auto. ?
-
- Tu as mal aux dents. Tu veux aller chez le dentiste le plus vite possible. Tu es riche. ?
-
- Tu as peur de l'avion. Tu veux aller en Europe. ?
-
- Tu es au Maroc. Tu veux aller en Libye. (Il faut traverser le désert du Sahara.) ?
-
- Tu es très sportif. C'est une belle journée d'été. Tu veux aller chez un ami qui habite à 5 km de ta maison. ?
-
- Tu es un extra-terrestre. Tu veux visiter la Terre. ?
-

Comment y aller, sur terre et par les airs

à pied

à cheval

à vélo (à bicyclette)

à dos d'âne

à dos de chameau

en auto (en automobile, en voiture)

à moto (à motocyclette)

en autobus

en chaise roulante

en avion

en métro

en camion

en hélicoptère

en camionnette

en bateau

en traversier

en calèche

en aéroglisseur

à motoneige

en montgolfière

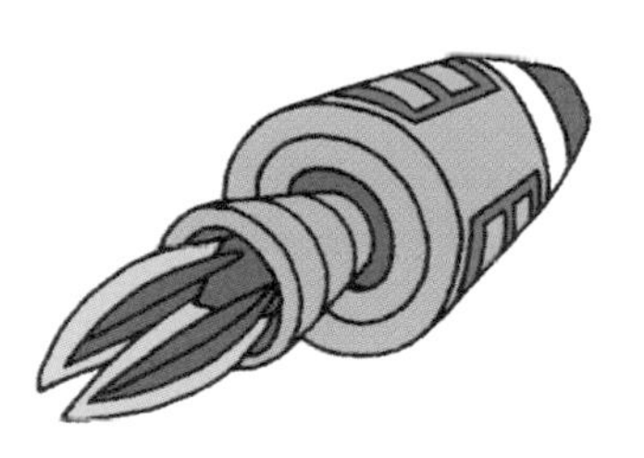
en fusée

en jeep

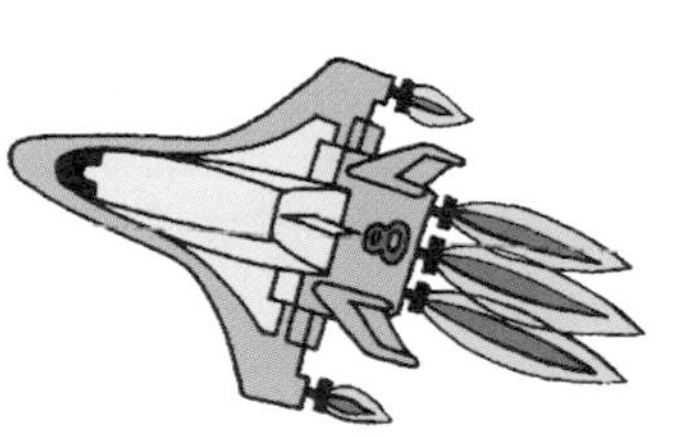
en vaisseau spatial

en taxi

en planche à roulettes

en sous-marin

par le train

Pour ne pas répéter des mots inutiles

Comment viens-tu [à l'école] ? J'**y** viens en autobus.

Comment est-ce que tu vas aller [à la maison] ? Je vais **y** aller à pied.

Quand est-ce que tu es allé [en Europe] ? J'**y** suis allé l'année dernière.

Mon voyage autour du monde

Imagine que, comme Rigolo à la page 92 de ton cahier, tu peux faire un voyage autour du monde. À partir de la ville ou du village où tu habites, où est-ce que tu vas aller et comment? Décris tes plans de voyage à ton ou ta partenaire ou à toute la classe.

Des vacances réussies

L'année dernière, ou il y a deux ou trois ans, tu as fait un grand ou un petit voyage, ou encore une excursion. Partage ton expérience avec le reste de la classe ou avec un ami ou une amie. Voici des idées qui vont t'aider à en parler.

- C'était quand? (L'année dernière, l'été passé, il y deux, trois ou quatre ans, ...)
- Qu'est-ce que tu as visité? Où es-tu allé(e)?
- Avec qui y es-tu allé(e)?
- Qu'est-ce que tu as le plus aimé?
- Qu'est-ce que tu as le moins aimé?
- Qu'est-ce que tu as vu de très beau?
- Qu'est-ce que tu as appris?

etc.

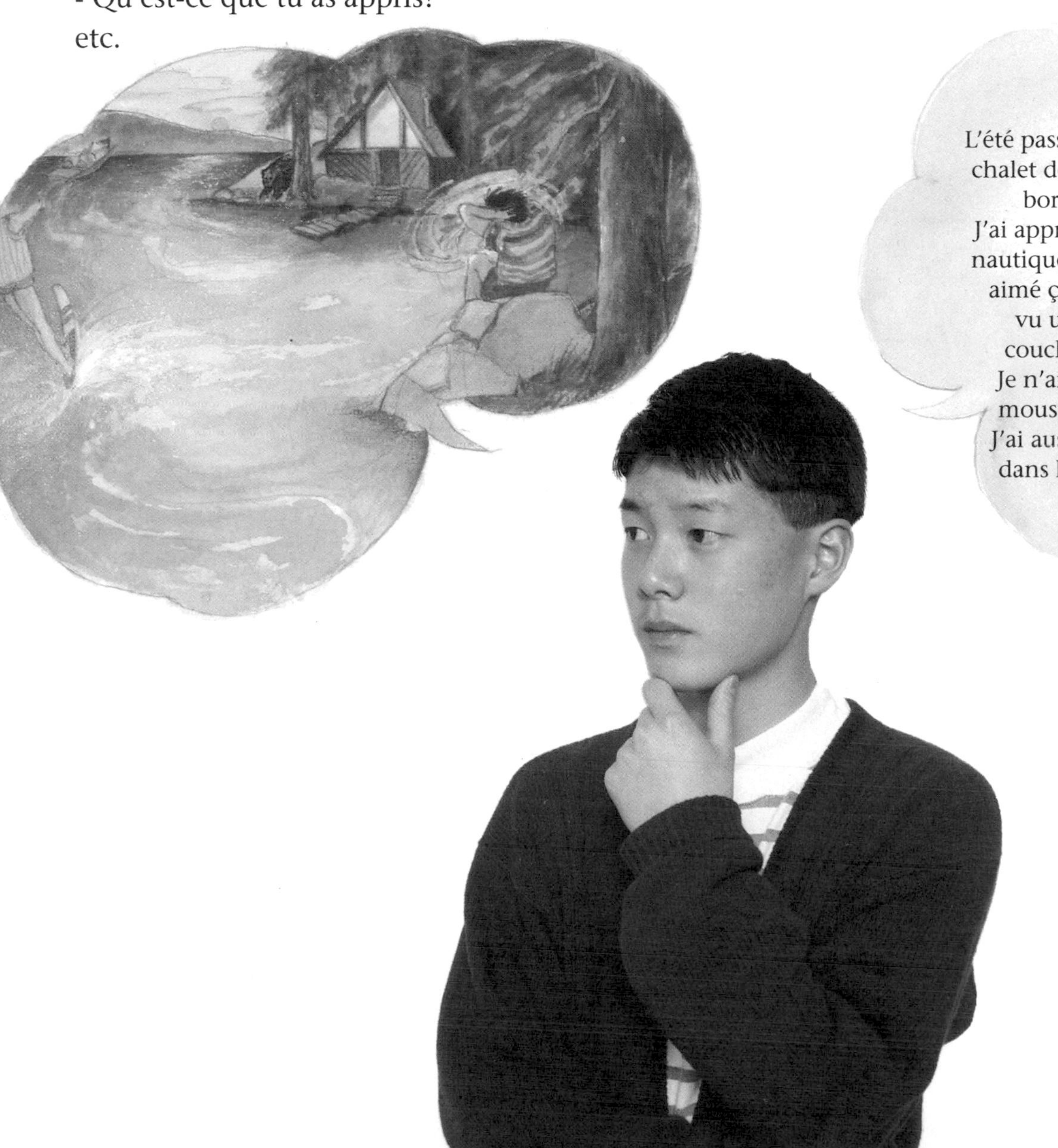

Des cartes du monde francophone

Lis les cartes postales suivantes et, d'après les indices et tes connaissances du monde francophone, associe chaque carte à sa photo à la page opposée.

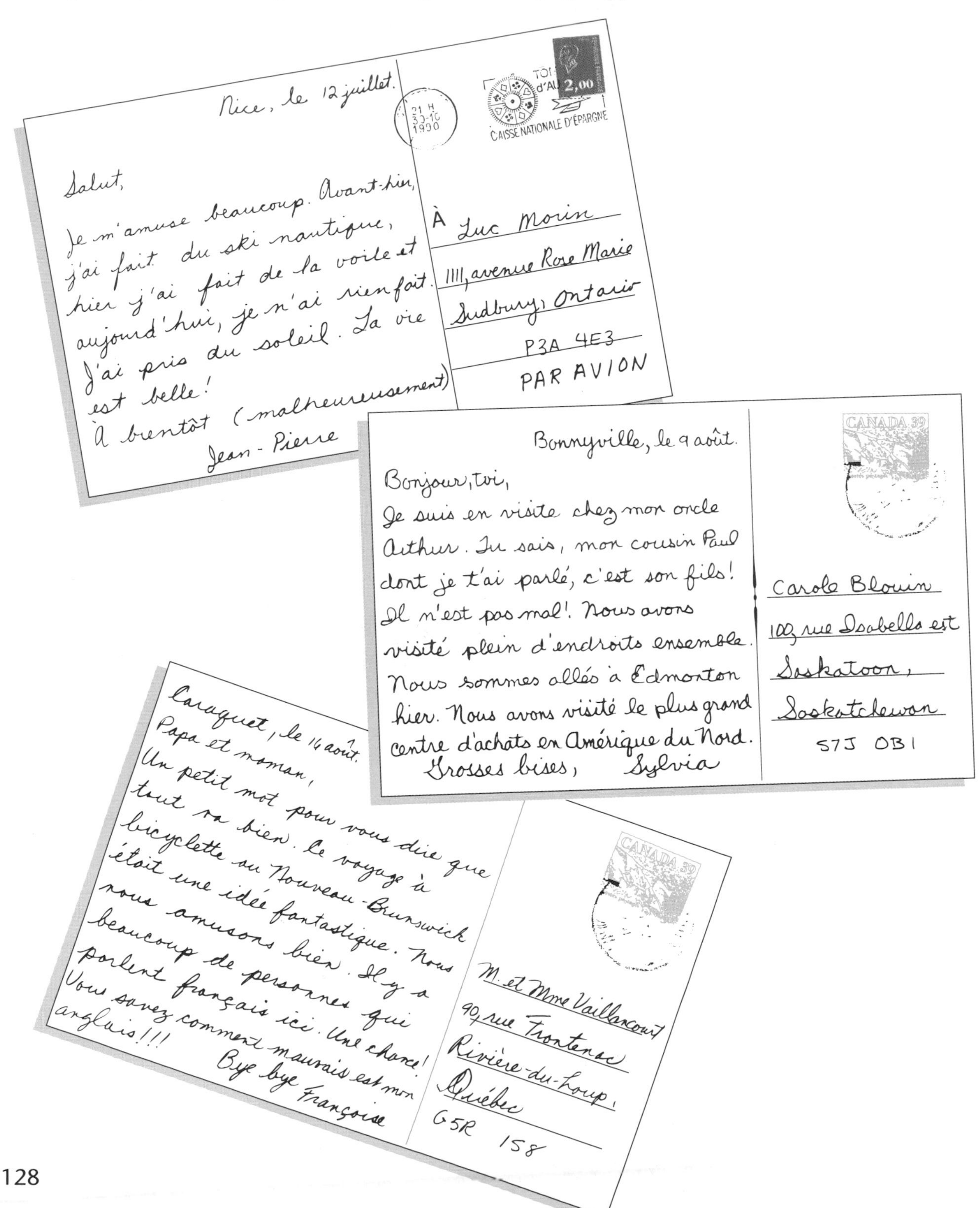

Nice, le 12 juillet.

Salut,

Je m'amuse beaucoup. Avant-hier, j'ai fait du ski nautique, hier j'ai fait de la voile et aujourd'hui, je n'ai rien fait. J'ai pris du soleil. La vie est belle!

À bientôt (malheureusement)

Jean-Pierre

2,00
CAISSE NATIONALE D'ÉPARGNE

À Luc Morin
1111, avenue Rose Marie
Sudbury, Ontario
P3A 4E3
PAR AVION

Bonnyville, le 9 août.

Bonjour, toi,

Je suis en visite chez mon oncle Arthur. Tu sais, mon cousin Paul dont je t'ai parlé, c'est son fils! Il n'est pas mal! Nous avons visité plein d'endroits ensemble. Nous sommes allés à Edmonton hier. Nous avons visité le plus grand centre d'achats en Amérique du Nord.

Grosses bises, Sylvia

CANADA 39

Carole Blouin
102, rue Isabella est
Saskatoon,
Saskatchewan
S7J 0B1

Caraquet, le 16 août.

Papa et maman,

Un petit mot pour vous dire que tout va bien. Le voyage à bicyclette au Nouveau-Brunswick était une idée fantastique. Nous nous amusons bien. Il y a beaucoup de personnes qui parlent français ici. Une chance! Vous savez comment mauvais est mon anglais!!!

Bye bye Françoise

CANADA 39

M. et Mme Vaillancourt
90, rue Frontenac
Rivière-du-Loup,
Québec
G5R 1S8

HOTEL

AVEZ-VOUS U
POUR U

Dans chaque numéro, l'un de vous pose une question. Des lecteurs répondent et donnent leur avis. Voici la question d'aujourd'hui :

« J'aime beaucoup le Japon; je trouve que c'est un pays fabuleux plein de traditions et de modernisme. Quand j'en parle à mes copines, elles me disent que je rabâche trop. Vous, avez-vous une passion pour un pays bien particulier ? Si oui, pourquoi ? Aimeriez-vous, un jour, y aller ? »

Sonia, Agen (47)

« MON PAYS PRÉFÉRÉ, C'EST LA FRANCE »

« Je suis Canadienne, de père français. Mon pays préféré est la France.

Chaque année, lorsque j'y retourne, je me fais une joie de revoir la campagne française, les grandes villes qui ont un cachet extraordinaire. En plus, les Français sont un peuple sympa.

Je trouve que tu as parfaitement le droit d'avoir une passion pour le Japon, et je partage ton opinion. » ***Catherine, Montréal (Canada).***

« LE PAYS DE WALT DISNEY ET DE BUFFALO BILL »

« Moi, j'aime les États-Unis. C'est un pays très grand, avec une histoire derrière lui, très puissant. Il existe une grande différence entre les États : le Texas et ses cow-boys, par rapport à New York et ses gratte-ciel...

C'est aussi le pays qui a vu naître Walt Disney et Tex Avery, les deux grands du dessin animé, qui possède Hollywood, la capitale du cinéma.

C'est aussi le pays des pionniers du Far West, comme Buffalo Bill. C'est un pays très avancé industriellement. J'adorerais y aller. »
Étienne, Néré (17).

ILLUSTRÉS PAR NICOLE CLAVELOUX

NE PASSION N PAYS ?

« JE SUIS FOLLE DE L'ÉGYPTE »

« Sonia, je crois que je suis folle de l'Égypte : j'écris des poèmes, je collectionne les timbres, les posters, les photos, les livres sur l'Égypte.

Le plus beau cadeau que l'on pourrait me faire, ce serait un billet d'avion pour Le Caire, aller simple, car je crois que je ne pourrais pas repartir ! Ou alors des cours d'arabe, car communiquer avec les autochtones, ce serait très intéressant, et on apprend toujours plus de choses avec les gens que dans des livres. Je te salue. » ***Fred, Strasbourg (67).***

« ESSAIE D'AVOIR UN CORRESPONDANT LÀ-BAS »

« Salut, Sonia ! Comme toi, j'adore le Japon, tout d'abord parce que c'est un pays lointain. Je rêve d'y aller un jour et, pourquoi pas, d'y habiter.

En attendant, j'ai fait une demande à une entreprise pour la correspondance internationale, afin d'avoir un(e) correspondant(e) dans ce pays.

Essaie d'avoir un(e) correspondant(e) là-bas, toi aussi. Cela te fera découvrir encore mieux ce pays, en attendant de pouvoir y aller. Bonne chance. Bisous. » ***Chrystelle, Aulnay-sous-Bois (93).***

« PARLER ANGLAIS, C'EST MA PASSION »

« Sonia, moi, j'ai un pays très particulier, l'Angleterre. J'aime cette île, car c'est un pays britannique. J'aime beaucoup parler anglais (c'est une passion).

Là-bas, il y a un genre bien précis : les taxis identiques, les autobus rouges à deux étages. J'adore leurs menus, les maisons avec leurs portes rouges, noires, bleues, violettes, etc.

La relève de la garde, les joyaux de la couronne, le palais, la cathédrale Saint-Paul : toutes ces choses sont fantastiques.

J'y vais deux semaines : quelle joie ! » ***Anne-Laure, Fontenay-Trésigny (77).***

« MON RÊVE : LE " CINQUIÈME PARADIS " »

« Moi aussi, je me passionne pour un pays, l'Australie. J'aime sa sauvagerie, ses mystères, sa faune et sa flore hors du commun. Je crois que l'Australie est le pays rêvé pour laisser libre cours à ma soif d'apprendre des choses nouvelles !

Mon rêve : avoir le bac, et partir seule faire le tour de l'Australie, avant de continuer des études d'océanographie.

En attendant de m'envoler vers mon rêve, je continue de dévorer des bouquins sur le " cinquième paradis " ». ***Vanessa, Paris 7e.***

La vie quotidienne dans l'espace

Félicitations!

Tu as été choisi pour participer à une mission de la navette spatiale. Après un décollage et une envolée sans histoire, tu te retrouves en orbite terrestre, à 400 km d'altitude. Là-haut, la vie quotidienne est bien différente de la vie sur Terre.

Léger comme un ballon

Tu détaches les sangles qui te maintiennent à ton siège. Te voilà aussitôt qui flottes comme un ballon. Tu expérimentes l'état d'*apesanteur.** (voir p. 8) Tu lâches ton crayon... il flotte devant ton visage.

Un coéquipier attire ton attention sur la bande velcro fixée au bout du crayon. Tous les menus objets à bord ont une telle bande. Des bandes velcro sont aussi disposées sur les parois de la cabine. On y fixe les objets. Sinon ils s'envolent et c'est la pagaille dans la cabine.

Pour travailler ou manger, tu glisses tes pieds dans des courroies fixées au plancher. Pour te déplacer, tu t'agrippes aux poignées disposées partout dans la navette.

L'aspect rigolo de la vie en apesanteur, c'est que tu es aussi confortable les pieds pointés vers le plafond que vers le sol!

De l'oxygène en conserve

À l'intérieur de la navette, tu ne portes pas de combinaison spatiale. L'air que tu respires est presque identique à celui sur Terre : il est formé à 79% d'azote, et à 21% d'oxygène. L'azote et l'oxygène sont stockés dans des réservoirs et libérés régulièrement.

Les cellules de ton corps utilisent l'oxygène de l'air pour fonctionner. Tu expires du gaz carbonique (ou CO_2). Si ce CO_2 demeurait dans la cabine, tu perdrais vite connaissance. C'est pourquoi le système de ventilation aspire le CO_2 hors de la cabine. Cela crée un courant d'air. Portés par ce courant, tous les petits objets lâchés par les astronautes se retrouvent tôt ou tard sur la grille du système de ventilation!

«C'est le bureau des objets perdus», dit en rigolant le capitaine.

JE ME PETIT-DÉBROUILLE 7 DÉCEMBRE 1988

Gastronomie spatiale

« Crevettes et asperges! », annonce le commandant.

Miam, miam! La gastronomie spatiale a bien changé depuis 20 ans. Lors des premiers vols spatiaux, beaucoup d'aliments étaient réduits en purée et placés dans un tube. On pressait le tube à l'heure du repas. Beurk!

À bord de la navette, la viande est placée dans des sachets d'aluminium qu'on place au four. Tu ouvres le sachet avec des ciseaux. Les aliments servis avec une sauce ou du jus ne s'envolent pas. La sauce les maintient au fond du plat.

Ton dessert, un pouding, est servi dans un contenant métallique semblable à ceux que tu trouves au supermarché.

À bord de la navette, il y a peu d'espace pour stocker la nourriture. C'est pourquoi une centaine d'aliments sont *déshydratés.* C'est le cas des céréales, des œufs brouillés, du spaghetti, des asperges, etc. Sur Terre, on enlève l'eau contenue dans ces aliments. Dans l'espace, avant de les déguster, tu perces un trou dans le sachet, et tu injectes de l'eau. D'où vient cette eau? Elle est obtenue en mélangeant deux gaz : l'oxygène et l'hydrogène.

Et les breuvages? En l'absence de pesanteur, les liquides se mettent en boules ou se séparent en gouttelettes qui flottent partout dans la navette! Impossible donc de te verser un verre de jus. Les jus, le thé et le café sont en poudre, dans des sachets de plastique. Tu injectes de l'eau dans le sachet et tu bois avec une paille.

Menus Consommés au Cours de la Mission Sur la Lune

Les différents sigles indiquent la forme sous laquelle se trouvaient les aliments.

R = à réhydrater avec de l'eau (parmi lesquels le thon, les crevettes et la langouste doivent présenter une quantité de mercure inférieure à 0,38 partie par million).

N = à l'état naturel. Le pain, par exemple. Il était conservé par irradiations de doses de 5 E + 05 de Cobalt 60. On a préféré cette technique à la réfrigération utilisée au cours des vols précédents, dont la durée était inférieure à 48 heures.

T = thermostabilisé par le système UHT (ultra haute température pendant quelques secondes).

IM = à pourcentage d'humidité contrôlé pour éviter la dégradation.

D = déshydraté.

Jour	Repas	Menu	Classe
19/7/69	Déjeuner 906 calories	jus de pamplemousse	R
		pain	N
		sandwich au jambon	T
		fruits confits	IM
		jus de pamplemousse et pomme	R
	Dîner 875 calories	boeuf en sauce	R
		cubes de fromage	D
		abricot	IM
		tarte	R
		jus d'orange	R
		jus de raisin	R
20/7/69	Petit-déjeuner 668 calories	pêches	R
		bacon	IM
		cornflakes sucrés	R
		cacao	R
		jus d'orange et de pamplemousse	R
	Déjeuner 880 calories	chair de langouste	R
		viande en sauce	T
		chocolat	IM
		tarte aux pommes	IM
		jus de pamplemousse	R

Autres aliments consommés pendant la mission Apollo XIV

saucisson (R), oeufs brouillés (R), crème de banane (R), cocktail de crevettes (R), thon (R), Cheddar (N), moutarde (IM), beurre d'arachide (N), roastbeef (R), soupe de légumes (R), soupe de riz (R), poulet (R), spaghetti à la viande (R).

Tiré de *Le Grand Livre d'Astronomie*, Éditions des Deux Coqs d'Or.

Visitons le monde!

As-tu une passion pour un pays? As-tu déjà fait un voyage fantastique? Aurais-tu une idée pour organiser un voyage pour ta classe ou ton école?

Fais ton choix:

1) Tu peux décrire à la classe un pays (ou une ville) que tu aimes beaucoup. Tu n'as pas besoin de l'avoir déjà visité. Trouve de l'information et des photos dans des dépliants de voyage, des encyclopédies, etc.

2) Tu peux décrire un voyage que tu as déjà fait. Apporte des photos, décris ce que tu as fait, etc.

3) Tu peux organiser un voyage pour ta classe ou ton école. Cela peut être un voyage possible (par exemple, en France) ou un voyage fantaisiste (par exemple, sur la Lune). Décris ce voyage aux élèves de ta classe et demande-leur s'ils aimeraient faire un voyage de ce genre.

LE DÉPART EN VACANCES

Pour jouer à 2, 3 ou 4 joueurs, il faut: un dé et 1 voiture par joueur: (1 tiroir de petite boîte d'allumettes).

Un, deux, trois, partez... plouf!
Qui arrivera le premier au bord de la mer?
TUNNEL
60
5
Entrée du tunnel
Ressors case 9.
6
Vitesse limitée
si tu fais plus de 3
au prochain tour,
tu passes un tour.
7
8
Sortie
de tunnel.
9
Arrêt pipi.
Passe un tour.
10
11
12
Raccourci.
Évite le bouchon
en avançant case 18.
13
CUI!
OUA!
TÛT!
23
24
Panne sèche :
Retourne
chercher
de l'essence
case 20.
25
Si 2 voitures se trouvent sur la
même case, c'est l'accrochage:
le dernier arrivé sur cette case va
au garage, case 3!
LA MER
26
frites
à
100m
27

Expressions utiles

Les permissions

Est-ce que je peux tailler mon crayon, s.v.p.?

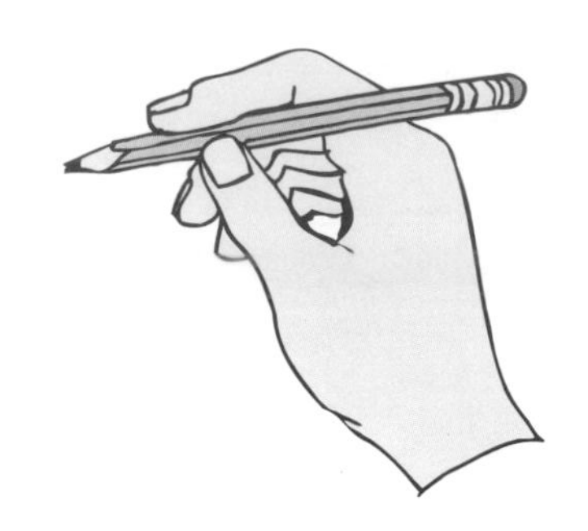

Est-ce que je peux aller aux toilettes, s.v.p.?

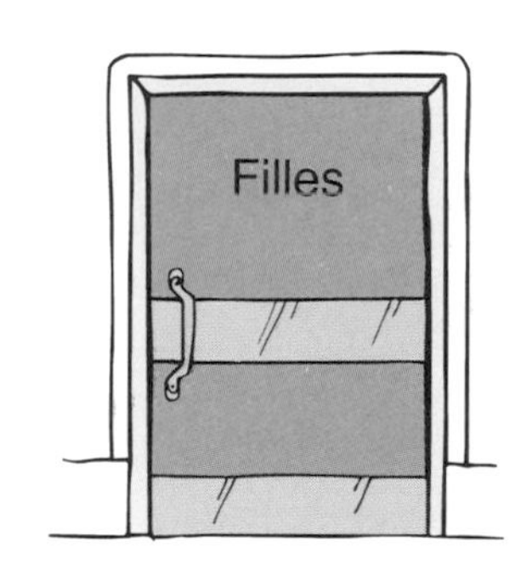

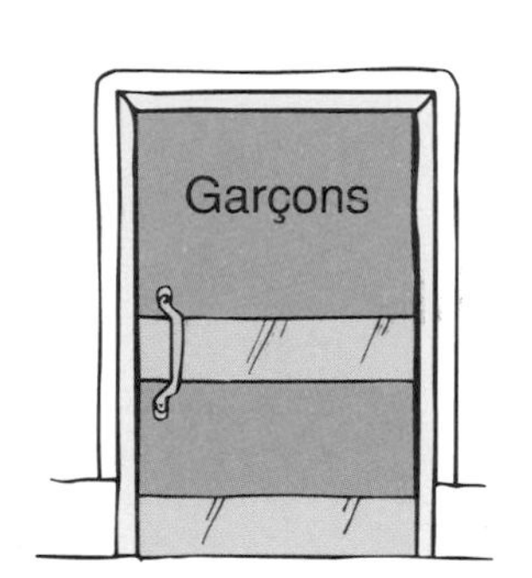

Est-ce que je peux aller boire, s.v.p.?

Est-ce que je peux ouvrir la fenêtre, s.v.p.?

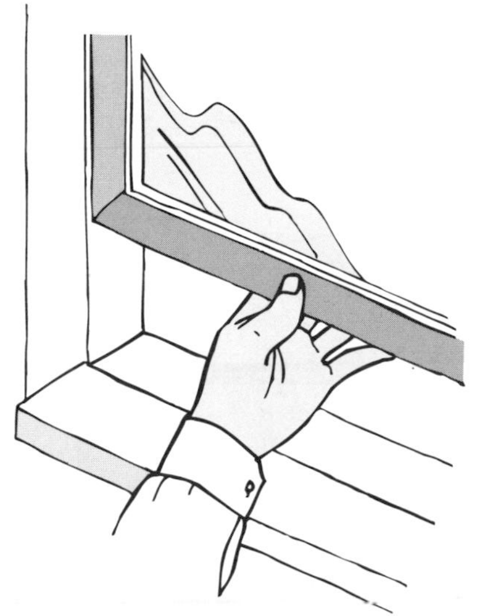

Est-ce que je peux fermer la fenêtre, s.v.p.?

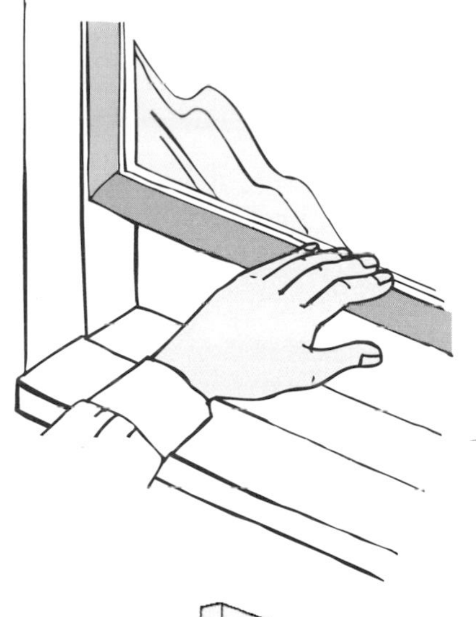

Est-ce que je peux aller à mon casier, s.v.p.?

Est-ce que je peux emprunter ton agrafeuse?

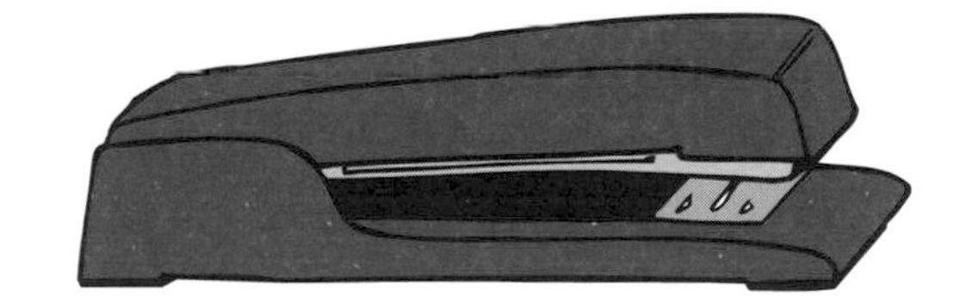

Est-ce que je peux emprunter ton ruban adhésif?

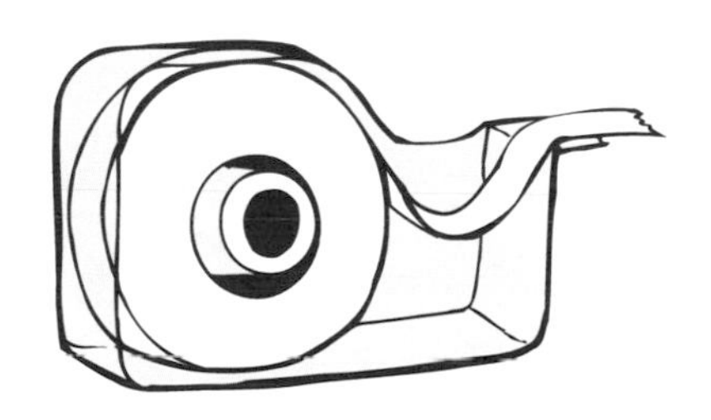

Est-ce que je peux emprunter ta règle?

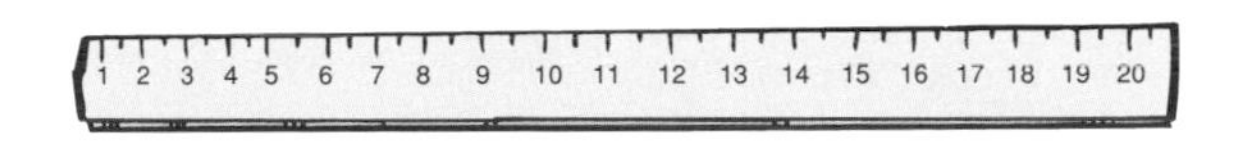

Est-ce que je peux emprunter ton stylo?

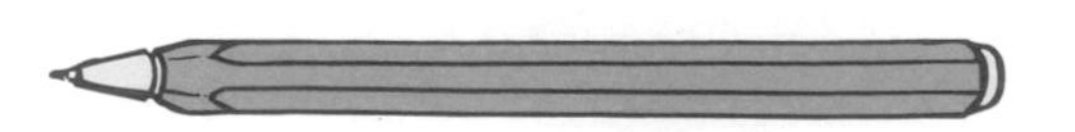

Est-ce que je peux emprunter ton liquide correcteur?

Est-ce que je peux emprunter ta gomme à effacer?

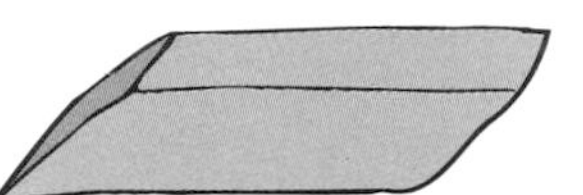

Est-ce que je peux emprunter ton dictionnaire?

Est-ce que je peux avoir un papier-mouchoir?

Est-ce que je peux avoir un trombone?

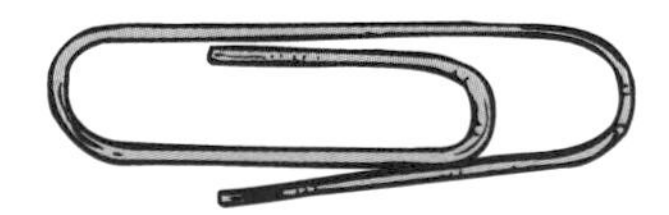

Est-ce que je peux avoir une feuille de papier?

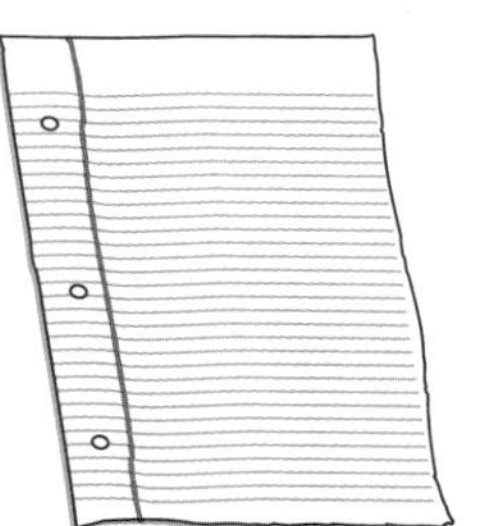

Autres expressions et questions utiles

C'est à quelle page?

Excusez-moi. (Excuse-moi.)
Pardon.

Je ne sais pas.

Parlez plus fort, s'il vous plaît!
(Parle plus fort, s'il te plaît!)

Pouvez-vous m'aider? (Peux-tu m'aider?)

Je ne comprends pas.

Pouvez-vous répéter, s'il vous plaît?
(Peux-tu répéter, s'il te plaît?)

Comment dit-on *water* en français?

Comment écrit-on le mot *paresseux*?

Que veut dire le mot *chemin*?

Le Canada

Dawson
LE YUKON
Whitehorse
LES TERRITOIRES DU NORD-OUEST
Yellowknife
Prince-Rupert
LA COLOMBIE-
BRITANNIQUE
Grande-Prairie
L'ALBERTA
Edmonton
Calgary
Lethbridge
Vancouver
Victoria
Prince-Albert
Saskatoon
LA SASKATCHEWAN
Régina
LE MANITO
Portage-la-
Prairie
Winnipeg

LE LABRADOR
Goose Bay
Gander
St-Jean
TERRE-NEUVE
Île
d'Anticosti
LE QUÉBEC
Gaspé
L'ÎLE-DU-
PRINCE-ÉDOUARD
Port-aux-Basques
Rimouski
L'ONTARIO
Rivière-du-loup
Caraquet
Île du Cap-Breton
LE
NOUVEAU-
BRUNSWICK
Charlottetown
Moncton
LA NOUVELLE-ÉCOSSE
Thunder
Bay
Québec
Frédéricton
Halifax
Montréal
St-
Jean
Hull
Sudbury
Ottawa
Toronto
Windsor

Le monde

le Groënland
l'Alaska
le Canada
l'océan Atlantique
l'océan Pacifique
les États-Unis
le Mexique
Hawaï
Cuba
la république Dominicaine
la Jamaïque
Haïti
le Honduras
le Nicaragua
la Martinique
le Guatemala
El Salvador
le Costa Rica
le Panama
le Venezuela
la Colombie
la Guyane française
le Brésil
le Pérou
le Paraguay
l'Uruguay
le Chili
l'Argentine
l'Antarctique

la Norvège
la Suède
la Finlande
l' U.R.S.S.
la république d'Irlande
le Royaume-Uni
le Danemark
les Pays-Bas
la Pologne
la Tchécoslovaquie
l'Autriche
la Hongrie
la Belgique
l'Allemagne
la Bulgarie
le Luxembourg
la France
la Roumanie
la Yougoslavie
l'Espagne
l'Italie
la Suisse
la Turquie
la Chine
l'Albanie
la Grèce
le Portugal
le Japon
le Maroc
l'Algérie
la Tunisie
l'Égypte
l'Arabie Saoudite
l'Inde
la Mauritanie
l'Afrique
Sénégal
la Guinée
la Côte-d'Ivoire
l'Australie
la Nouvelle-Zélande
l'Antarctique
l'Antarctique

Verbes utiles

PRÉSENT DE L'INDICATIF - VERBES RÉGULIERS

RÊVER

je	rêve
tu	rêves
il/elle/on	rêve
nous	rêvons
vous	rêvez
ils/elles	rêvent

CHOISIR

je	choisis
tu	choisis
il/elle/on	choisit
nous	choisissons
vous	choisissez
ils/elles	choisissent

RÉPONDRE

je	réponds
tu	réponds
il/elle/on	répond
nous	répondons
vous	répondez
ils/elles	répondent

PASSÉ COMPOSÉ - VERBES RÉGULIERS

RÊVER

j'ai
tu as
il/elle/on a
nous avons
vous avez
ils/elles ont
→ rêv**é**

CHOISIR

j'ai
tu as
il/elle/on a
nous avons
vous avez
ils/elles ont
→ chois**i**

RÉPONDRE

j'ai
tu as
il/elle/on a
nous avons
vous avez
ils/elles ont
→ répond**u**

FUTUR PROCHE - TOUS LES VERBES

RÊVER

je vais
tu vas
il/elle/on va
nous allons
vous allez
ils/elles vont
→ rêver

CHOISIR

je vais
tu vas
il/elle/on va
nous allons
vous allez
ils/elles vont
→ choisir

RÉPONDRE

je vais
tu vas
il/elle/on va
nous allons
vous allez
ils/elles vont
→ répondre

PRÉSENT DE L'INDICATIF - VERBES IRRÉGULIERS

aller: je vais, tu vas, il/elle/on va, nous allons, vous allez, ils/elles vont

apprendre: j'apprends, tu apprends, il/elle/on apprend, nous apprenons, vous apprenez, ils/elles apprennent

avoir: j'ai, tu as, il/elle/on a, nous avons, vous avez, ils/elles ont

boire: je bois, tu bois, il/elle/on boit, nous buvons, vous buvez, ils/elles boivent

comprendre: je comprends, tu comprends, il/elle/on comprend, nous comprenons, vous comprenez, ils/elles comprennent

connaître: je connais, tu connais, il/elle/on connaît, nous connaissons, vous connaissez, ils/elles connaissent

devoir: je dois, tu dois, il/elle/on doit, nous devons, vous devez, ils/elles doivent

dire: je dis, tu dis, il/elle/on dit, nous disons, vous dites, ils/elles disent

dormir: je dors, tu dors, il/elle/on dort, nous dormons, vous dormez, ils/elles dorment

écrire: j'écris, tu écris, il/elle/on écrit, nous écrivons, vous écrivez, ils/elles écrivent

être: je suis, tu es, il/elle/on est, nous sommes, vous êtes, ils/elles sont

faire: je fais, tu fais, il/elle/on fait, nous faisons, vous faites, ils/elles font

lire: je lis, tu lis, il/elle/on lit, nous lisons, vous lisez, ils/elles lisent

mettre: je mets, tu mets, il/elle/on met, nous mettons, vous mettez, ils/elles mettent

ouvrir: j'ouvre, tu ouvres, il/elle/on ouvre, nous ouvrons, vous ouvrez, ils/elles ouvrent

partir: je pars, tu pars, il/elle/on part, nous partons, vous partez, ils/elles partent

pouvoir: je peux, tu peux, il/elle/on peut, nous pouvons, vous pouvez, ils/elles peuvent

prendre: je prends, tu prends, il/elle/on prend, nous prenons, vous prenez, ils/elles prennent

savoir: je sais, tu sais, il/elle/on sait, nous savons, vous savez, ils/elles savent

sortir: je sors, tu sors, il/elle/on sort, nous sortons, vous sortez, ils/elles sortent

venir: je viens, tu viens, il/elle/on vient, nous venons, vous venez, ils/elles viennent

vouloir: je veux, tu veux, il/elle/on veut, nous voulons, vous voulez, ils/elles veulent

PASSÉ COMPOSÉ — VERBES IRRÉGULIERS

apprendre:	j'ai **appris**
avoir:	j'ai **eu**
boire:	j'ai **bu**
comprendre:	j'ai **compris**
connaître:	j'ai **connu**
devoir:	j'ai **dû**
dire:	j'ai **dit**
écrire:	j'ai **écrit**
être:	j'ai **été**
faire:	j'ai **fait**
lire:	j'ai **lu**
mettre:	j'ai **mis**
ouvrir:	j'ai **ouvert**
pouvoir:	j'ai **pu**
prendre:	j'ai **pris**
savoir:	j'ai **su**
vouloir:	j'ai **voulu**

PASSÉ COMPOSÉ — VERBES AVEC *ÊTRE*

exemple: **ALLER**

je	suis	allé(e)
tu	es	allé(e)
il/on	est	allé
elle	est	allée
nous	sommes	allé(e)s
vous	êtes	allé(e)(s)
ils	sont	allés
elles	sont	allées

arriver:	je suis arrivé(e)
descendre:	je suis descendu(e)
entrer:	je suis entré(e)
monter:	je suis monté(e)
mourir:	je suis mort(e)
naître:	je suis né(e)
partir:	je suis parti(e)
retourner:	je suis retourné(e)
sortir:	je suis sorti(e)
tomber:	je suis tombé(e)
venir:	je suis venu(e)

PASSÉ COMPOSÉ — VERBES RÉFLÉCHIS

exemple: **SE LEVER**

je me	suis	levé(e)
tu t'	es	levé(e)
il/on s'	est	levé
elle s'	est	levée
nous nous	sommes	levé(e)s
vous vous	êtes	levé(e)(s)
ils se	sont	levés
elles se	sont	levées

Lexique

A

accord (m) agreement
Je suis d'accord I agree
acheter to buy
aéroglisseur (m) hovercraft
affreux/affreuse frightful, terrible
aide (f) help, assistance
aider to help
ajouter to add
aliment (m) food
aller to go
alpinisme (m) mountain climbing
ami (m) friend, boyfriend
amie (f) friend, girlfriend
amitié (f) friendship
âne (m) donkey
année (f) year; grade
aperçu (m) forecast
appareil (m)
Paul à l'appareil Paul speaking
apporter to bring
apprendre to learn
appuyer to lean against
après after
d'après moi according to me
après-midi (m) afternoon
arachide (f) peanut
armoire (f) cupboard
arrêt (m) stop
assez enough
attendre to wait
aujourd'hui today
autocollant (m) sticker
automne (m) fall
autour around
autre other
avance (f) advance
en avance early
avant before
avant-midi (m) morning
avion (m) plane
avoir to have

B

baguette (f) stick; loaf of French bread
bande dessinée (f) comic strip
barbe (f) beard
barbe à papa candy-floss
Quelle barbe! What a drag!
bateau (m) boat
bâton (m) stick
beau (bel)/belle beautiful
beaucoup a lot, many
beigne (f) donut
beurre (m) butter
bibliothèque (f) library
bijou (m) jewel
des bijoux jewellery
blé (m) wheat
bloqueur (m) lineman
boire to drink
boisson (f) drink
boisson gazeuse soft drink
bol (m) bowl
bon/bonne good
bonbon (m) candy
boulot (m) work
bouteille (f) bottle
brancher to attach, to connect
bras (m) arm
brasser to stir
brochure (f) pamphlet
brosser to brush
se brosser les dents to brush one's teeth
bureau (m) office; desk
but (m) goal

C

cacher to hide
calèche (f) carriage
camarade (m/f) friend
camion (m) truck
camionnette (f) van, small truck
casier (m) locker
casserole (f) saucepan
cauchemar (m) nightmare
centre (m) centre
centre d'achats shopping centre
chacun/chacune each
chaîne (f) channel

chameau (m) camel
chance (f) luck
chemin (m) road, path
cher/chère dear, expensive
cheval (m) horse
chez to, at (someone's house, someone's place)
chiffre (m) figure, digit
choisir to choose
chose (f) thing
ciel (m) sky
cinéma (m) cinema, movie theatre
classeur (m) filing cabinet
clé (f) key
cloche (f) bell
cocher to check
coin (m) corner
collation (f) snack
coller to glue
combien how much, how many
commanditer to finance, to pay for
comme like, as
commencer to begin
comment how
comprendre to understand
compte d'épargne (m) savings account
confiture (f) jam
connaître to know
construire to build
content/contente happy
convive (m/f) guest
copain (m)/copine (f) friend, pal
cornichon (m) pickle
côté (m) side
 à côté de beside
coucher to put to bed
 se coucher to go to bed
couper to cut
couteau (m) knife
coûter to cost
craie (f) chalk
croustille (f) potato chip
cuillère (f) spoon
curieux (m)/curieuse (f) inquisitive person

D

damé/damée packed
 neige damée packed snow
debout up, standing up
début (m) beginning
découper to cut
défier to challenge
dégoûtant/dégoûtante disgusting
déjeuner (m) breakfast; lunch
demander to ask
dent (f) tooth
départ (m) departure
dépêcher
 se dépêcher to hurry
dépliant (m) leaflet
déprimant/déprimante depressing
dérider to uncrease
dernier/dernière last
derrière behind
descendre to go down
déshabiller to undress
 se déshabiller to undress oneself
désolé/désolée sorry
dessin (m) drawing
 les dessins animés cartoons
dessous (m) underside
 au dessous, ci-dessous below
dessus (m) top
 au dessus, ci-dessus above
devant in front
deviner to guess
devinette (f) riddle
devoir must, to have to
devoir (m) homework
dimanche (m) Sunday
dinde (f) turkey
dire to say, to tell
discuter to discuss
disque (m) record
divertissant/divertissante amusing, entertaining
Dommage!/Quel dommage! too bad
donner to give
dormir to sleep
dos (m) back
droite (f) right
 à droite de to the right of
drôle funny; strange
dur/dure hard
durant during
durer to last

E

eau (f) water
école (f) school
Écossais (m)/Écossaise (f) Scotsperson
écouter to listen
écran (m) screen
écrire to write
écusson (m) badge
égoïste selfish
émission (f) programme, broadcast
emploi (m)
un emploi du temps schedule, use of time
emporte-pièce (m) cookie cutter
emprunt (m) borrowing, loan
emprunter to borrow
encore again, still
endroit (m) place
enlever to remove, to subtract
ennuyeux/ennuyeuse boring
enquête (f) survey
enseignement (m) teaching, instruction
ensemble together
ensoleillé sunny
ensuite then, next
entendre to hear
entier/entière whole
entre between
environ about
épaule (f) shoulder
équipe (f) team
équitation (f) horseback riding
erreur (f) mistake
esclave (m) slave
espace (m) space
essayer to try
étage (m) floor
étagère (f) shelf; set of shelves
été (m) summer
éternuer to sneeze
être to be
étudier to study
expliquer to explain
exposition (m) exhibition

F

fâché/fâchée angry
facile easy
faim (m) hunger
j'ai faim I am hungry
faire to do, to make
fantaisiste fanciful
fatiqué/fatiguée tired
faux/fausse false, untrue, wrong
fenêtre (f) window
fermer to close
fièvre (f) fever
fille (f) girl; daughter
fils (m) boy; son
fin (f) end
fin de semaine weekend
fois (f) time
une fois once
fou/folle crazy, mad
four (m) oven
fourchette (f) fork
fromage (m) cheese
fusée (f) rocket

G

gagner to win
garçon (m) boy
garder to keep
garder des enfants to baby-sit, to look after children
gauche (f) left
à gauche de to the left of
genre (m) kind
gens (mpl) people
glace (f) ice
gorge (f) throat
goût (m) taste
goûter (m) snack
grenouille (f) frog
guimauve (f) marshmallow

H

habiller to dress
s'habiller to dress oneself
habiter to live
haltérophilie (f) weight lifting
hanche (f) hip
heure (f) hour; time
à l'heure on time
heureux/heureuse happy
hirondelle (f) swallow

hiver (m) winter
horaire (m) timetable, schedule

I
ici here
infidèle unfaithful, disloyal
informatique (f) computer science
inoccupé/inoccupée not busy
inoubliable unforgettable
inquiet/inquiète worried
insensible insensitive
intrus (m) intruder
inutile useless

J
jamais never
jambe (f) leg
jambon (m) ham
jeudi (m) Thursday
jeune (m/f) youngster
jeune young
jeunesse (f) youth
joueur (m)/joueuse (f) player
jour (m) day
journée (f) day
jumeau (m)/jumelle (f) twin
jusqu'à up to, until
juste right, exact

L
lait (m) milk
laitue (f) lettuce
lancer (m) throw
lapin (m) rabbit
laver to wash
  se laver to wash oneself
lecteur (m)/lectrice (f) reader
léger/légère light
légume (m) vegetable
lent/lente slow
lever to raise, to lift
  se lever to get up
lieu (m) place
  au lieu de instead of
lire to read
lit (m) bed
loisir (m) leisure
lundi (m) Monday
lune (f) moon
lunette (f)
  des lunettes glasses
lutte (f) wrestling

M
magnétophone (m) tape recorder
magnétoscope (m) video recorder
maintenant now
maison (f) house
mal (m) hurt, harm
  j'ai mal à la/au/aux... I have a ...ache; my ... hurts
mal badly
malade sick, ill
manger to eat
mardi (m) Tuesday
maternelle (f) kindergarten
matin (m) morning
mauvais/mauvaise bad
meilleur/meilleure better
  le meilleur/la meilleure the best
même same
mensonge (m) lie
mensonger/mensongère untrue, false
mercredi (m) Wednesday
mère (f) mother
météo (f) weather
métro (m) subway
mets (m) dish
mettre to put, to put on
midi (m) noon
miel (m) honey
mieux better
minuit (m) midnight
modèle (m) model, example
  modèle réduit scale model
moi me, myself
moins less, minus
  le/la moins the least
mois (m) month
monde (m) world
monter to go up
montgolfière (f) hot air balloon
mort/morte dead
  mort(e) d'ennui bored to death
motoneige (f) snowmobile
mou/molle soft

mourir to die
moyen (m) means, way
mur (m) wall

N

n'importe où anywhere
naissance (f) birth
naître to be born
je suis né(e) ... I was born ...
natation (f) swimming
neige (f) snow
neiger to snow
nez (m) nose
nid (m) nest
nuageux cloudy

O

occupé/occupée busy
oeil (m) eye
oeuf (m) egg
oiseau (m) bird
oreille (f) ear
orteil (m) toe
où where
ours (m) bear
outre-mer overseas
ouvrir to open

P

pain (m) bread
palet (m) (curling) stone
pantalon (m) pants
parfois sometimes, occasionally
parler to talk
partir to leave, to go away
passable fair
passe-temps (m) pastime
passer to spend, to pass
passoire (f) collander
patin (m) skate
patins à roulettes roller skates
patinage (m) skating
patinage de vitesse speed skating
patinage artistique figure skating
patiner to skate
pauvre poor
pays (m) country
peigner to comb
se peigner to comb one's hair
peluche (f) plush
animal de peluche stuffed animal
pendant during
penser to think
perdre to lose
père (m) father
personnage (m) character
petit/petite small, little
peu (m)
un peu a little
peu little, not much
pied (m) foot
pire worst
planche (f) board
planche à roulettes skateboard
plier to bend, to fold
plongeon (m) diving
pluie (f) rain
plus more, plus
le/la plus the most
plûtot rather, instead
poêle (f)
poêle à frire frying pan
poisson (m) fish
poitrine (f) chest
porte (f) door
poser
poser une question to ask a question
poudreuse (f) powdery
neige poudreuse powder snow
poulet (m) chicken
poupée (f) doll
pourquoi why
pouvoir can, to be able to
pratiquer to practise
premier/première first
prendre to take
prévision (f) forecast
printemps (m) spring
prodige (m) wonder, marvel
pupitre (m) desk

Q

quand when
quart (m) quarter
quel (quels, quelle, quelles) what, which
quelqu'un someone

quelque chose something
quelques some
queue (f) tail
  queue de billard billiard cue
qui who
  à qui to whom
quille (f) bowling pin
  jeu de quilles bowling
quitter to leave

R
rappeler to call back
  se rappeler to remember
rarement rarely, seldom
raser to shave
  se raser to shave oneself
récipient (m) container
regarder to look, to watch
  se regarder to look at oneself
relire to read again
remercier to thank
remettre to put back; to give back
remplir to fill in
rencontrer to meet
rendez-vous (m) appointment
renseignement (m) information
repas (m) meal
répondre to answer
réseau (m) network
rester to stay
retard (m) lateness, delay
  en retard late
rétroprojecteur (m) overhead projector
réussir to succeed
rêve (m) dream
revenir to come back
rêver to dream
réveiller to wake up
  se réveiller to wake oneself up
revue (f) magazine
rez-de-chaussée (m) ground floor
rhume (m) cold
rideau (m) curtain, drape
rien nothing
roche (f) rock
rouleau (m) roll
  rouleau à pâtisserie rolling pin

S
sain/saine healthy, wholesome
salle (f) room
samedi (m) Saturday
santé (f) health
saumon (m) salmon
sauter to jump
savoir to know
secouer to shake
  Secouons nos puces! Let's get going!
seigle (m) rye
selon according to
semaine (f) week
seulement only
ski (m) ski
  ski alpin downhill skiing
  ski de fond cross-country skiing
  ski nautique water skiing
soir (m) evening
soleil (m) sun
sondage (m) opinion poll
sonner to ring
sortir to go out, to leave
sourire (m) smile
sous-marin (m) submarine
souvenir
  se souvenir to remember
souvent often
sportif/sportive fond of sports, athletic
suite (f) continuation
suivant/suivante next, following
suivre to follow

T
tableau (m) blackboard
tailler to sharpen
tard late
tasse (f) cup
téléroman (m) soap opera
téléviseur (m) television set
temps (m) time
  de temps en temps from time to time
terre (f) earth
thon (m) tuna
timbre (m) stamp
tir (m)
  tir à l'arc archery
tôle (f) sheet metal

tôle à biscuits baking sheet, cookie sheet
tomber to fall
tort
avoir tort to be mistaken
tôt early
toujours always
tousser to cough
tout/toute all
tranche (f) slice
travailler to work
traversier (m) ferryboat
très very
triste sad
trop too, too much
trou (m) hole
trouver to find

U
urgence (f) emergency
ustensile (m) utensil
utile useful
utiliser to use

V
vacances (fpl) holiday, vacation
vaisseau (m) ship
vaisseau spatial space ship
vélo (m) bicycle
vendre to sell
vendredi (m) Friday
venir to come
revenir to come back
vent (m) wind
ventre (m) stomach, tummy
ver (m) worm
verglaçant/verglaçante freezing
pluie verglaçante freezing rain
vérité (f) truth
verre (m) glass
verser to pour
viande (m) meat
vide empty
vie (f) life
ville (f) city
visiter to visit
vivre to live
voile (f) sailing
voir to see
voiture (f) car
vouloir to want
voyage (m) trip
voyager to travel
vrai/vraie true
vraiment really

Y
yeux
un oeil, deux yeux one eye, two eyes